ATENÇÃO PLENA
para todos os dias

ATENÇÃO PLENA
para todos os dias

*Práticas simples e eficazes
para reduzir o estresse*

**ELISHA GOLDSTEIN, ph.D
BOB STAHL, ph.D**

Título original: *MBSR Every Day*

Copyright © 2015 por Elisha Goldstein e Bob Stahl
Copyright da tradução © 2020 por GMT Editores Ltda.

Todos os direitos reservados. Nenhuma parte deste livro pode ser utilizada ou reproduzida sob quaisquer meios existentes sem autorização por escrito dos editores.

tradução: Débora Chaves
preparo de originais: Sheila Louzada
revisão: Luis Américo Costa e Tereza da Rocha
diagramação: Valéria Teixeira
capa: Miriam Lerner | Equatorium Design
impressão e acabamento: Bartira Gráfica

CIP-BRASIL. CATALOGAÇÃO NA PUBLICAÇÃO
SINDICATO NACIONAL DOS EDITORES DE LIVROS, RJ

G577a   Goldstein, Elisha
           Atenção plena para todos os dias/ Elisha Goldstein, Bob Stahl; tradução de Débora Chaves. Rio de Janeiro: Sextante, 2020.
           192 p.; 14 x 21 cm.

           Tradução de: MBSR every day
           ISBN 978-85-431-0927-5

           1. Atenção plena (Psicologia). 2. Consciência. 3. Meditação. I. Stahl, Bob. II. Chaves, Débora. III. Título.

19-61331   CDD: 153.733
                                               CDU: 159.952

Todos os direitos reservados, no Brasil, por
GMT Editores Ltda.
Rua Voluntários da Pátria, 45 – Gr. 1.404 – Botafogo
22270-000 – Rio de Janeiro – RJ
Tel.: (21) 2538-4100 – Fax: (21) 2286-9244
E-mail: atendimento@sextante.com.br
www.sextante.com.br

Este livro é dedicado a todos que escolheram aplicar a atenção plena em seu cotidiano.
Assim o mundo se torna um lugar melhor para se viver.

Sumário

Introdução   11

PARTE 1 UM MOMENTO

1   Adote a mente de principiante   23
2   Perceba seus sentidos   27
3   Fique atento a seus pensamentos   31
4   Desenvolva a paciência   35
5   Brinque!   39
6   Fique atento às tarefas simples   43
7   Conecte-se   47
8   As dádivas da imperfeição   51
9   Pratique com outras pessoas   55

PARTE 2 RESPIRE

10   Simplesmente respire   61
11   Prepare-se para praticar   65
12   Espaço, tempo e postura   69
13   A respiração como âncora   73

14	Faça as pazes com sua mente	77
15	Descubra a gratidão	79
16	Confie em sua experiência	83

PARTE 3 HARMONIZE SUAS EMOÇÕES

17	Pratique a "gentileza plena"	89
18	Ame a si mesmo	91
19	Abra-se para a alegria	93
20	Sorria (faz bem)	97
21	Seja generoso	99
22	Lembre-se de perdoar	103
23	Seja suave	107
24	Abra seu coração para os outros	111

PARTE 4 MEDITE

25	Comece pelo corpo	115
26	Os cinco obstáculos	119
27	Os cinco antídotos	123
28	"Receba e entretenha a todos"	127
29	Deixe estar e deixe ir	131
30	Enfrente a dor	133
31	Atenção plena a qualquer hora, em qualquer lugar	135
32	Respiração, corpo, som	139

33 Não se estresse com seus pensamentos 143
34 Liberte-se de seu crítico interior 145
35 Controle a mente comparativa 149
36 Permita o que houver 153

PARTE 5 SEJA

37 Consciência viva (amorosa) 157
38 Mergulhe por baixo da sua identidade 161
39 Encontre seu equilíbrio natural 165
40 Uma ilusão de ótica da consciência 169
41 Considere todos os seres 173
42 Bondade amorosa 177
43 Abrindo-se para a interconexão 181

Referências 185
Agradecimentos 191

Introdução

Este é um livro sobre as principais práticas que integram o Programa de Redução do Estresse Baseado na Atenção Plena (MBSR, na sigla em inglês), que é o método mais adotado atualmente no mundo. Nestas páginas, você aprenderá formas simples de incluir em seu dia a dia a ciência, a arte e a prática da atenção plena de modo a diminuir o sofrimento e obter mais equilíbrio e tranquilidade. Aprenderá também algumas práticas que o ajudarão, entre outras coisas, a desenvolver a paciência, identificar dádivas na imperfeição, fazer as pazes com sua mente e seu corpo, confiar em sua experiência, cultivar a autocompaixão, amar a si mesmo, meditar, libertar-se dos pensamentos negativos e se sentir mais conectado.

Você exerce um papel ativo na sua saúde e no seu bem-estar, e permitir-se usar as técnicas deste livro é uma grande demonstração de autocuidado – alguns diriam até de amor-próprio. Por quê? Porque a maneira como prestamos atenção – e em quê – não apenas afeta nossa vida como transforma nosso cérebro. Descobertas científicas demonstram repetidamente que as práticas do MBSR mudam a mente, o corpo e a vida para melhor, pois:

- fazem o sistema imunológico funcionar melhor sob estresse (Davidson e outros, 2003);
- aumentam a resiliência, pois melhoram a capacidade do cérebro de processar emoções em momentos de estresse (Davidson e outros, 2003);
- aumentam a substância cinzenta na ínsula e no córtex cerebral (Hölzel e outros, 2011);
- reduzem as dores crônicas (Kabat-Zinn e outros, 1998; Rosenzweig e outros, 2010);
- melhoram a *eudaimonia*, isto é, o bem-estar psicológico (Fredrickson e outros, 2013);
- aumentam naturalmente a empatia, a compaixão e a autocompaixão (Shapiro, Schwartz e Bonner, 1998; Shapiro e outros, 2005);
- aliviam a ansiedade (Miller, Fletcher e Kabat-Zinn, 1995) e o transtorno obsessivo-compulsivo (Baxter e outros, 1992);
- previnem recaídas na depressão (Teasdale e outros, 2000; Segal e outros, 2010);
- previnem recaídas na dependência de drogas (Parks, Anderson e Marlatt, 2001);
- melhoram a qualidade de vida, mesmo para quem sofre de alguma doença crônica relacionada ao estresse (Carlson e outros, 2007).

Há um ditado no MBSR: não importa o que você está enfrentando, enquanto estiver vivendo e respirando, haverá mais coisas certas do que erradas em você. O problema é que, na maior parte do tempo, nossa mente nos conta uma história diferente. Essa narrativa interna insiste em apontar nossos erros, nos comparar com outras pessoas e nos fazer acreditar que somos piores nisso e naquilo. Essas narrativas costumam estar na base do que provoca nosso sofrimento no dia a dia. Um dos maiores benefícios da atenção plena (também conhecida como mindfulness) é aprendermos que nossas histórias não nos definem, nem mesmo aquelas que tentam nos dizer quem somos. Ficamos cada vez melhores em reconhecer que temos a chance de escolher em *que* prestamos atenção e *como* prestamos atenção. Temos a opção de ficar acordados e *mergulhar por baixo dessas narrativas, quebrar a rotina, deixar estar* e *praticar a "gentileza plena"* – quatro das práticas contidas neste livro. E assim, em vez de ficar presos a velhos padrões, podemos começar uma vida de mais liberdade e novas possibilidades.

Mas como fazer isso?

PRATIQUE!

Mesmo com toda comprovação científica e todos os relatos de como a atenção plena vem mudando a vida das pessoas, a realidade é que ela é totalmente inútil a menos que você *pratique*.

Podemos acompanhar blogs, ouvir podcasts ou ler um livro atrás de outro, mas, enquanto não aplicarmos as práticas, tudo isso será em vão. Pouca coisa muda até que coloquemos as técnicas em uso.

É só quando praticamos que o grande aprendizado acontece. Constatamos que uma prática simples, como perceber os sentidos, pode acalmar a mente agitada e nos devolver o equilíbrio. Ao praticar, notamos um aumento da nossa autocompaixão, fator crucial na prevenção de recaídas na depressão. Quando trazemos a atenção plena para o dia a dia, simplesmente nos sentimos mais felizes.

Porém, apesar de tantas boas razões para a prática da atenção plena, nosso condicionamento e todos os estímulos externos tornam isso um desafio. Só com uma motivação forte você vai conseguir superar esse desafio. E ninguém vai fazer isso por você; você vai ter que fazê-lo por si mesmo.

Uma maneira de descobrir suas motivações é refletir sobre o que o levou a pegar este livro. Está sentindo alguma dor? Está doente? Quer aprender a lidar melhor com alguma situação? Está sob um alto nível de estresse? Tem sido difícil equilibrar a vida pessoal e a profissional?

O que você espera que mude quando se envolver conscientemente com as práticas propostas neste livro? Seu objetivo é pensar com mais clareza, aliviar o estresse ou a dor, ter equilíbrio ou mais paz na sua vida? Essas razões são motivações poderosas. Use-as como combustível e mantenha-se fiel a elas.

Desejo que você perceba que dedicar um tempo a incorporar essas práticas à sua vida é dar um presente incrível para si mesmo.

Toda vez que você abre espaço na sua vida para incluir esse esforço, está cuidando de si mesmo. Segundo a frase atribuída ao psicólogo Donald Hebb, "neurônios que disparam juntos permanecem conectados". Toda vez que você segue essas orientações e realiza ações deliberadas no sentido de se preocupar consigo mesmo, está desenvolvendo dentro de si o sentimento de que você importa. Isso vale para todo mundo, mas é ainda mais importante para quem teve uma infância de insegurança, alimentada por uma criação que passava a mensagem oposta – de que não tinha valor. Como seriam os próximos dias, semanas e meses se você tivesse tido uma percepção forte da sua importância?

Avalie seu estresse

Muitos dos livros que ensinam a enfrentar o estresse não explicam como avaliar se os conselhos dados estão surtindo efeito. Mas nós queremos que você saiba até que ponto as práticas deste livro estão funcionando; portanto, antes de começar a praticar, faça uma análise informal dos fatores que lhe provocam estresse no momento. À medida que for incorporando nossas orientações na sua vida, você poderá rever essa análise para avaliar se obteve melhoras.

Num caderno ou no computador, crie uma tabela com quatro colunas. Na primeira coluna, escreva as cinco situações mais estressantes da sua vida no momento. Elas podem envolver trabalho, escola, cônjuge, trânsito, multidões, solidão, notícias, finanças, saúde, alimentação, sono, o que for. Quanto mais específico você for, mais fácil será acompanhar seu progresso. Por exemplo, em vez de "trânsito", escreva "enfrentar o trânsito todo dia ao ir trabalhar"; ou, em vez de "meu relacionamento", escreva "discutir sobre dinheiro com meu parceiro".

As outras três colunas são para sua análise do nível de estresse que essas situações lhe causam: (a) agora, quando está tendo o primeiro contato com as práticas do livro, (b) na metade da leitura e (c) no final do livro. Assim, na segunda coluna, avalie cada situação em uma escala de 1 (menos estressante) a 10 (mais estressante). Reavalie todas elas quando chegar à metade do livro, e uma terceira vez ao terminar a leitura. Desse modo você terá uma noção clara de como este livro o está ajudando.

Por exemplo, John ficava muito estressado no domingo à noite, antes de começar uma nova semana de trabalho. Ele notou que seu estresse aumentava depois do jantar e que na hora de dormir revisava sem parar uma lista de tarefas mental. Quando começou a ler este livro, ele deu nota 8 à gravidade desse problema, o que indicava alto nível de estresse. Após começar a se conscientizar de outros aspectos da sua vida, a prestar atenção à respiração e a se harmonizar com seu interior, ele refez a avaliação. John se descobriu capaz de acalmar a mente agitada com mais frequência, então sua segunda nota foi 5. Ao se aproximar do fim do livro, sua mente ainda ficava agitada na hora de dormir, mas ele agora acreditava que encontraria tranquilidade e paz nessa situação, então deu nota 2 (se você perceber que está dando nota 8 ou mais a todas as situações da sua lista, talvez seja prudente procurar a ajuda de um profissional de saúde em paralelo às orientações deste livro).

Ao fazer essa análise, talvez você descubra que foram justamente esses fatores de estresse que o levaram a buscar este livro. O poeta sufi Rumi, do século XIII, escreveu: "Não desvie o olhar/ Do ferimento enfaixado/ É por ali que a luz entra em você." As páginas que se seguem ajudarão você a usar essas situações para transformar as dificuldades da sua vida em seus maiores pontos de força.

Como usar este livro

Os textos e práticas deste livro são baseados em décadas de experiência pessoal e em numerosos estudos científicos. Como é informação demais, optamos por selecionar o melhor do Programa de Redução do Estresse Baseado na Atenção Plena. São elementos que sabemos que, além de aliviar o estresse e desenvolver a resiliência, despertam os praticantes para uma vida que vale a pena.

Existem várias maneiras de utilizar este livro. Você pode lê-lo sequencialmente, na ordem que estabelecemos para você, ou, dependendo do seu nível de experiência com a prática da atenção plena ou da situação pela qual estiver passando, pode se sentir atraído por um capítulo específico e começar direto por lá. Em termos gerais, recomendamos reservar de dois dias a uma semana para cada prática, de modo que este livro represente um ano inteiro de descobertas, restauração, paz e alegria.

Procuramos escrever em uma linguagem que fosse fácil de compreender e de aplicar no seu dia a dia. Seja qual for o modo que escolher para utilizar este livro, *pratique!* Talvez você note algumas mudanças imediatas ou talvez fique impaciente por mudanças mais rápidas e maiores. Fique tranquilo: elas acontecerão. O segredo é encarar tudo com um "mindset de aprendiz" – ou mente de principiante –, não com um "mindset de resultados" (Dweck, 2000, 2006). A mentalidade voltada para resultados programa a mente para a estagnação, pois, sempre que deixamos de corresponder a uma expectativa, sentimos que estamos confirmando que nossas habilidades são imutáveis. Com a mente de principiante, mesmo os inevitáveis contratempos e obstáculos despertam nossa curiosidade e nos fazem crescer. Ambas as posturas mentais levam a mudanças, mas apenas uma delas leva à excelência.

Recomendamos que você se conecte com amigos, familiares, colegas de trabalho e até mesmo com estranhos enquanto explora este livro. O melhor incentivo para a prática são as pessoas. Se não conhece ninguém disposto a fazer isso com você, procure grupos, comunidades de discussão on-line eventos coletivos. Se não encontrar nenhum grupo, considere a ideia de começar um, pois pode haver outras pessoas procurando companhia para começar a praticar a atenção plena. Ao buscar outras pessoas, você não apenas cuida de si mesmo como também provoca efeitos em cascata que ajudam quem está ao seu redor (e até o planeta).

Recomece sempre

Os textos e práticas deste livro podem parecer simples, mas nem sempre são fáceis. Mesmo com muita dedicação, você ainda vai se pegar desviando do caminho vez ou outra. Como tudo na vida, é importante adotar uma postura flexível: determinar-se a colocar em prática as sugestões e, ao mesmo tempo, perdoar-se quando surgirem obstáculos.

Mas como perseverar diante das inevitáveis dificuldades da vida?

Aos 72 anos, Miriam se exercitava todos os dias e estava em excelente forma para sua idade. Quando lhe perguntaram qual era o segredo para tanta disciplina, ela respondeu:

– A certa altura, eu entendi que precisava fazer isso da mesma forma que faço minha higiene pessoal. Todo dia, ao acordar, eu escovo os dentes e tomo banho. Encaro os exercícios da mesma forma. E se um dia não me exercito, eu me perdoo e simplesmente recomeço.

Pode ser uma boa ideia pensar neste livro como uma espécie de fio dental da mente, parte da higiene mental pessoal que praticamos todos os dias. Há um ditado budista que afirma: "Se estivermos na direção certa, basta continuar andando." Podemos acrescentar: quando percebemos que estamos fora dos trilhos, não precisamos alimentar nosso crítico interior. Sempre é possível recomeçar com prudência e compaixão, colocando um pé na frente do outro.

Você já deu o primeiro passo, parabéns! Ao continuar seguindo na direção que pretende, saiba que não está fazendo isso apenas por si mesmo. A ciência mostra que nossos comportamentos e atitudes repercutem em vários graus nas pessoas que conhecemos (Christakis e Fowler, 2007). A intenção e o empenho que você dedicar às práticas deste livro serão um presente não só para você, mas para inúmeras pessoas à sua volta.

Bem-vindo à sua jornada por uma vida consciente.

PARTE 1
Um momento

1

Adote a mente de principiante

A prática da atenção plena tornou famoso o ato de comer uma uva-passa. Para quem nunca ouviu falar disso, é uma prática em que você explora seu lado lúdico ao se imaginar como um alienígena que acaba de pousar na Terra. Em suas viagens pelo planeta, você se depara com um alimento: a uva-passa. Como nunca viu isso, você a pega com cuidado e analisa sua aparência. Observa a forma, a cor, o tamanho – até a transparência, caso encontre uma uva-passa branca. A partir daí, você passa para os outros sentidos: sente a textura da uva-passa, se é áspera ou macia, quente ou fria, seca ou úmida. Depois, você a aproxima da orelha, aperta-a de leve entre os dedos, atento ao som que ela faz. Em seguida, você a aproxima do nariz, cheira uma vez, outra e mais outra. Por fim, você decide que a uva-passa é comestível e a coloca na boca, notando que seu braço sabe exatamente aonde ir. A maioria das pessoas a coloca na língua; então começa a salivar e sente uma textura diferente daquela que sentiu nos dedos. Ao mastigar e engolir, uma sinfonia de sabores se espalha lentamente por áreas específicas da língua, até que finalmente a uva-passa desce pela garganta.

É incrível o que acontece quando usamos a mente de principiante em uma experiência simples como essa. Muitas pessoas dizem coisas como "Nunca soube que uvas-passas emitiam som" ou "Nunca imaginei que eu teria tanta satisfação com uma única uva-passa". Um idoso que participou de um exercício em grupo comentou: "A vida inteira eu enfiei punhados de passas na boca... Isso é incrível." Após refletir por um segundo, ele acrescentou: "Só agora estou me dando conta de que nem gosto disso." Todos caíram na gargalhada. Quantas coisas na vida fazemos por puro costume, sem nem gostar ou sequer saber se realmente nos fazem bem?

Segundo o monge zen japonês Suzuki Roshi, "há muitas possibilidades na mente do principiante, mas poucas na do perito". Se a definição de atenção plena é "prestar atenção intencionalmente e sem julgamento", então cultivar a mente de principiante é essencial para a atenção plena. Na mente de principiante, colocamos de lado nossos pré-julgamentos – se algo é bom ou ruim, certo ou errado, justo ou injusto – para acionar olhos inexperientes, curiosos. Comemos uma uva-passa como se fosse a primeira vez.

Quando aprendemos a trazer a mente de principiante para nossa vida cotidiana, as possibilidades são infinitas.

PRATIQUE!

Abraham Joshua Heschel disse: "A vida é rotina, e rotina é resistência ao milagre."

A mente de principiante é uma ideia prática para se libertar de velhos padrões e voltar a entrar em contato com a maravilha da vida. É ser curioso. Você pode praticar a mente de principiante ao comer, ao contemplar uma árvore ou o céu, ao tocar uma pessoa querida, ao ouvir o canto dos pássaros, ao sentir o cheiro do seu bolo preferido.

Experimente como é a mente de principiante em termos físicos, emocionais e mentais. Em outras palavras, qual é a sensação física de ingerir algo pela primeira vez? Que emoções surgem? Sua mente parece distraída?

Depois de fazer isso por um tempo – talvez um dia ou uma semana –, reflita sobre o que você observou. Alguma coisa o surpreendeu?

2
Perceba seus sentidos

Uma das maneiras mais rápidas de tranquilizar a mente agitada é prestar atenção aos sentidos. Norman Farb e outros pesquisadores descobriram que voltar nossa atenção para o momento presente reduz a atividade na parte do cérebro associada às divagações. Faz sentido. Se você está num café e direciona sua atenção para a bebida que está tomando, consegue notar o aroma, a temperatura, o sabor. Ao mergulhar na experiência, é improvável que você se preocupe com o que o espera amanhã. Mas, se você toma o café se preocupando com o futuro, provavelmente não vai sentir direito o gosto.

Muitos só valorizam os sentidos quando eles começam a enfraquecer ou quando os perdem. Talvez sua visão comece a ficar turva e você precise usar óculos, ou você comece a ouvir um zunido insistente e perca a audição; talvez um problema nos nervos dificulte seu tato. Ou mesmo algo simples como um resfriado comum embote temporariamente seu olfato e seu paladar. Não precisamos esperar uma catástrofe (ou um resfriado) para prestar atenção nas dádivas que temos aqui e agora.

Você pode começar a cultivar a atenção plena trazendo a mente de principiante para a magia de todos os seus sentidos. Observe como você está verdadeiramente vivo.

PRATIQUE!

Agora mesmo, pare por um momento e expresse gratidão por todos os seus sentidos que estão ativos. Conduza sua mente para cada um dos seus sentidos, tomando plena consciência deles. Observe como sua mente reage às informações que seus sentidos lhe transmitem. Seu corpo as percebe como agradáveis, desagradáveis ou neutras? Esteja atento ao mundo que existe ao seu redor e dentro de você.

- *Audição*. Feche os olhos e escute o ambiente à sua volta. Observe como sua mente logo interpreta o que está ouvindo e associa imagens aos sons.

- *Visão*. Dê uma olhada lá fora. Deslumbre-se por um momento com a maneira como os olhos captam os raios de luz e dão sentido a eles. Observe todas as cores e formas. Perceba o que está se movimentando e o que está parado.

- *Tato*. Talvez você sinta vontade de fechar os olhos e tocar a própria pele ou a de alguém querido (seja uma pessoa ou um animal de estimação). Observe se a sensação é suave ou áspera, quente ou fria, seca ou úmida. O que você percebe?

- *Olfato*. Você pode ir até a cozinha, visitar alguém ou dar uma volta pelas redondezas, abrindo-se para o mundo dos cheiros. Que sensações isso provoca no seu corpo?

- *Paladar.* Não esqueça esse sentido. Escolha sua comida favorita ou um simples aperitivo e prove-o com a mente de principiante, como na meditação da uva-passa. Se achar bom, prolongue esse momento, saboreando o que é gostoso e percebendo a sensação diminuir até desaparecer.

Ao fazer isso, redirecione a percepção para dentro do seu corpo e observe o que está sentindo, tanto física quanto emocionalmente. Quando terminar, reflita sobre como foi perceber seus sentidos com a mente de principiante. Por fim, agradeça a si mesmo por dedicar um tempo a isso e pense na dádiva que é ter esses sentidos.

Tente trazer a consciência dos seus sentidos para seu dia a dia, percebendo como você está verdadeiramente vivo.

3

Fique atento a seus pensamentos

Anos atrás, a Fundação Nacional de Ciência dos Estados Unidos apontou que cada pessoa tem cerca de 50 mil pensamentos por dia. Se isso é verdade ou não, não há confirmação, mas uma coisa é certa: a mente nunca para de pensar, analisar e tentar entender as coisas, esteja você desperto ou dormindo. Nossa mente funciona como os filmes: em imagens e palavras. Há quem seja mais visual, pensando mais em imagens, enquanto outros pensam mais em palavras; e há ainda os que usam ambas as formas igualmente. O interessante é que na maior parte do tempo nem temos consciência do que está acontecendo na nossa mente.

Quando começa a aplicar a atenção plena aos seus pensamentos, você percebe que acontece uma espécie de diálogo interno: você falando consigo mesmo. E, conforme acompanha esse diálogo, percebe que é em um tom crítico na maior parte do tempo. Você se vê dizendo coisas que nunca diria a um amigo: *O que há de errado comigo?*, ou *Como sou idiota,* ou *Nunca vou fazer isso direito.* Com o tempo, entende como seu humor distorce os pensamentos em uma direção ou outra. Quando está se sentindo feliz, a frequência e a intensidade dos pensamentos negativos diminuem. Talvez até pense um ocasional *Sou brilhante!*. Por outro lado, quando há mais angústia emocional, os pensamentos negativos aumentam em intensidade e frequência.

Mas, como todas as coisas, essas formações mentais têm um tempo de duração. Elas vêm e vão. Aplicar a atenção plena aos nossos pensamentos não só nos ajuda a entender o funcionamento automático da nossa mente como evita que esses pensamentos ditem quem somos e em que acreditamos. Você não é seus pensamentos – nem mesmo aqueles que dizem que é, sim.

PRATIQUE!

De tempos em tempos, faça a si mesmo a seguinte pergunta: *O que estou pensando?* Seu pensamento se traduz mais em imagens, palavras ou ambas as formas? Após perceber um pensamento, pergunte-se: *Qual será o próximo?* Tenha curiosidade por saber como sua mente é rápida em julgar você e os outros. Você percebe como esses diversos estados mentais (palavras e imagens) mudam constantemente?

Alguns tipos de pensamento que ocupam nossa mente:

- *Catastróficos.* Compõem o jogo mental do "e se", que amplifica o pior cenário futuro com pensamentos carregados de preocupação: *E se isso acontecer? E se aquilo acontecer?* Pensamentos desse tipo aumentam a ansiedade e a depressão.

- *Acusatórios.* Consistem em uma armadilha mental, uma maneira de eliminar um sentimento desconfortável puxando para nós a culpa pela dor do outro ou culpando o outro pela nossa dor. O problema desses pensamentos é que, ao repelir o desconforto, você abre mão do seu poder de efetuar mudanças.

- *Repetitivos*. Quando nossa mente decide ruminar acontecimentos passados, analisando-os repetidas vezes para tentar chegar a uma conclusão ou explicação.

- *Ensaiados*. Quando a mente ensaia algum acontecimento futuro encenando as diversas maneiras como ele pode se desenrolar.

A simples curiosidade a respeito de como a mente funciona e a rotulação de determinadas categorias de pensamento ampliam o espaço entre a consciência e os pensamentos propriamente ditos. É nesse espaço que você encontrará sua liberdade.

4
Desenvolva a paciência

Circula na internet um quadrinho engraçado que mostra um grupo de monges reunidos num local que parece ser um campus universitário. Um deles, de pé em cima de um banco, pergunta em um megafone:
– *O que queremos?*
Os outros monges respondem:
– *Atenção plena!*
– *Quando queremos?* – pergunta o monge com o megafone.
– *AGORA!*

Apesar de ser uma brincadeira com a ideia de que a atenção plena está presente no agora, uma segunda leitura possível é de que o quadrinho representa nosso impulso coletivo para a impaciência. Não é novidade que crescemos em uma cultura imediatista, e é por isso que muita gente acha insuportável esperar. A impaciência é um dos maiores obstáculos para desenvolvermos o domínio sobre qualquer assunto, pois nos deixa mais dispostos a desistir. Uma das maiores habilidades que podemos desenvolver, e que vai nos servir ao longo dos percursos da vida, é a *paciência*.

A paciência é aquela voz interior tranquila que sussurra *Vá com calma* e abre espaço para o aqui e agora. Ela nos faz entender que este é o momento, que é importante estar presente porque é aqui que a vida está acontecendo. Imagine contar com essa voz interior quando está parado no trânsito, na fila do mercado, esperando que a garota que você acabou de conhecer responda à sua mensagem ou quando seu filho está fazendo pirraça. O que seria diferente? Você teria muito menos ansiedade e muito mais perspectiva e paz de espírito. O maravilhoso da paciência é que todo mundo pode aprender essa habilidade, não importa sua origem ou sua criação. O fato é que, com ou sem paciência, o trânsito vai continuar lá, a fila não vai andar mais rápido, a mensagem ainda não chegou e a criança não parou de fazer birra. Quem está sofrendo? Você!

A paciência é uma força que desenvolve a autoconfiança e o autocontrole. Ao aplicar as lições deste livro, você perceberá que algumas coisas se tornarão mais fáceis, enquanto outras se tornarão mais difíceis. Procure realizar as práticas de paciência. Não tem mistério: aquilo que exercitamos e repetimos se torna mais natural. Logo você vai se perceber cada vez melhor em viver consciente.

PRATIQUE!

O extraordinário de praticar a paciência é que todos os momentos de espera do cotidiano (que geralmente tentamos evitar) se tornam oportunidades de prática e desenvolvimento. É um truque bem legal. Pense por um instante: quantas vezes você fica impaciente ao longo do dia?

Dentre as situações que nos provocam impaciência, estas são as mais comuns:

- Trânsito
- Fila do mercado ou do banco
- Downloads de aplicativos e atualizações
- Ouvir alguém quando você está louco para falar
- Esperar a comida esquentar ou ser preparada
- Esperar pela resposta a uma mensagem ou um e-mail
- Não ser compreendido
- A presença de certas pessoas
- Pirraça de criança
- Tentar dormir

Quando você começar a identificar os momentos de impaciência no seu cotidiano, pode vir a descobrir que eles se traduzem também em experiências corporais. Talvez um aperto no peito, uma tensão nos ombros ou no rosto, ou ainda uma sequência de emoções e pensamentos reativos. Você também perceberá que a impaciência tem um ciclo de duração: ela vem e vai naturalmente, como todas as coisas. Se apenas olhar ao redor, verá que não é o único com dificuldade para ser paciente.

A experiência de não se sentir escravizado pela impaciência é fortalecedora.

Que todos nós sejamos mais pacientes e experimentemos a sensação de liberdade que sempre esteve ao nosso alcance.

5

Brinque!

❦

Quando recordamos a época da infância, certamente não é das obrigações ou dos deveres de casa que mais temos saudade. Nós só queríamos saber de brincar. Mas algo acontece quando nos tornamos adultos. Somos doutrinados por um sistema em que as brincadeiras são relegadas ao fim da lista de coisas a fazer. Não escolhemos isso intencionalmente; é um processo sutil, em que se cultiva e estimula a crença de que brincar simplesmente não é importante. O tempo passa, e nos perguntamos por que nos sentimos tão velhos.

> Não paramos de brincar porque envelhecemos; envelhecemos porque paramos de brincar.

Essa citação do dramaturgo irlandês George Bernard Shaw é certeira. Juventude é uma questão de espírito e atitude. Um participante do nosso grupo de MBSR tem 62 anos, mas parece mais jovem. "Meu rosto reflete quem eu sou por dentro", disse ele. E é verdade. Ele é um cara brincalhão, jovem de coração.

Dizem que, quando chegamos aos 50 anos, temos o rosto que

merecemos. É assim que a mente influencia diretamente o corpo. Nunca é tarde demais para recomeçar a brincar. A questão é: como trazer mais brincadeira para nossa vida?

❦

PRATIQUE!

Um dos efeitos incríveis da atenção plena é que ela nos encoraja a sair da rotina e voltar a mergulhar no maravilhamento do dia a dia. Atenção plena combina com diversão. No prefácio do livro *Mindfulness-Based Stress Reduction Workbook* (Caderno de exercícios do MBSR), Jon Kabat-Zinn chama a prática da atenção plena de "aventura divertida". O fato é que, embora existam tantos benefícios em viver com mais consciência, também não podemos ser rigorosos. Se formos muito rígidos no esforço para nos mantermos presentes, acabamos nos apegando demais à ideia da atenção plena e nos frustramos ao perceber que não estamos presentes.

Podemos, em vez disso, explorar o olhar curioso. Quando estivermos desatentos (e as oportunidades para isso são muitas, acredite), podemos dizer: *Ah, mas que interessante... Como foi que vim parar aqui?* Assim nos perdoamos pelo desvio, mas também entendemos o que nos tirou do caminho. Com essa mentalidade, voltamos aos trilhos mais rápido (e ainda levamos conosco um pouco de felicidade).

Experimente sair da rotina e incluir um pouco de diversão na sua vida. No livro *O caminho do artista*, Julia Cameron sugere criar o "encontro com o artista": reservar duas horas por semana para fazer algo criativo e divertido que você normalmente acredita não ter tempo para fazer. Toque violão, leia poesia, vá escrever em um café, caminhe por um lugar que ainda não conhece, visite um bairro novo, jogue videogame ou comece aquela obra de arte que está adiando porque "não tem tempo" ou porque "não é artista".

Não negocie com sua mente, pois ela fica lhe dizendo que você não tem tempo ou que isso não é importante. Planeje e faça logo. Precisamos cultivar as sementes da diversão. Isso não apenas nos traz mais alegria como estabelece uma postura fundamental para a prática da atenção plena. É também o que mantém viva nossa juventude e, provavelmente, prolonga nossa vida. Experimente!

6

Fique atento às tarefas simples

❊

Com tantos afazeres, parece que, se deixarmos, a vida se torna cada vez mais complexa conforme as responsabilidades se acumulam. Às vezes são tantas bolas no ar que achamos impossível continuar com o malabarismo. Só pela manhã, temos que tomar banho, preparar e tomar o café, lavar a louça, responder a e-mails e mensagens... Se você é pai ou mãe, a lista é ainda mais longa: preparar o almoço e o café para todos, lavar o dobro ou triplo de louça e arrumar as crianças – tudo isso enquanto tenta impedir que elas subam pelas paredes. Complicado.

Quando entendemos que é possível ficar atento às tarefas simples da vida, as coisas começam a mudar. Dentro da nossa mente, temos o poder de desacelerar e de direcionar melhor nossa atenção.

Um dia desses, ao chegar em casa depois de visitar vários clientes, tudo que eu (Elisha) queria era descansar. Só que nem sempre conseguimos o que queremos. Meus filhos pareciam que tinham tomado Red Bull e minha esposa não tinha como me ajudar na cozinha depois do jantar, pois estava com muito trabalho para fazer. Fiz tudo contando os segundos para acabar, sonhando com o momento de relaxar.

Quando já ia me jogar na cama, fui surpreendido por uma pilha gigante de roupas lavadas, apenas à espera de serem dobradas e guardadas. Apesar do desespero imediato, logo depois veio a aceitação, e, enquanto redefinia minhas expectativas para a noite, me concentrei na peça de roupa que estava no alto da pilha. Peguei a camisa, senti sua textura, dobrei-a com delicadeza. Continuei fazendo isso, peça por peça. Era relaxante. Algumas roupas evocavam lembranças dos meus filhos brincando, ou da noite em que eu havia saído com minha esposa. Aos poucos meu corpo relaxou e descobri que, na realidade, estava gostando de fazer aquilo. Fiquei grato por ser lembrado do grande poder da atenção plena.

PRATIQUE!

Como escreveu Kabir, poeta indiano do século XV: "Onde quer que você esteja/ é o ponto de entrada." A oportunidade de viver o momento presente e se manter atento está sempre aqui. O banho pela manhã é um grande exemplo disso, porque muita gente usa esse momento para planejar o dia, pensando em todas as tarefas que tem pela frente. Basta aplicar o que você aprendeu em "Perceba seus sentidos" (Capítulo 2). Imagine que essa é a primeira vez que você entra nesse chuveiro. O que você vê? A água espirrando quando toca sua pele? O brilho e a cor do sabonete ou xampu? Que cheiros você sente? Inspire uma vez e repita. Sinta sua pele, seu corpo ou qualquer outra coisa que atraia sua atenção. Você tem alguma sequência de ações que sempre repete no banho? Em caso afirmativo, o que aconteceria se a mudasse um pouco? Feche os olhos e se concentre no barulho da água caindo. Note como varia. Tenha consciência de como é estar no chuveiro.

Ao fazer isso, observe seu corpo. O que você sente?

Aproveite e aplique essa prática em outras tarefas simples, como andar, comer, ouvir música, responder a e-mails, cuidar do seu animal de estimação, estar com seu(sua) parceiro(a), cuidar do jardim ou beber um drinque maravilhoso. Quando nos concentramos nas tarefas cotidianas, reduzimos os devaneios e nos abrimos para a vitalidade que nos cerca.

Aproveite essa oportunidade. Mergulhe na exuberância da sua vida.

7

Conecte-se

✣

Um dos pilares da redução do estresse pela atenção plena é aplicar a técnica em nós mesmos e nos nossos relacionamentos no dia a dia. Assim que abrimos os olhos pela manhã, histórias passam pela nossa mente e influenciam nossa maneira de ver as pessoas. Podemos ter ideias preconcebidas sobre nosso cônjuge, nosso filho, nosso colega de quarto ou nosso sócio. Quando saímos de casa, é possível que já tenhamos ideias sobre nossos vizinhos, o atendente da cafeteria, os caixas do mercado, nossos colegas de trabalho e até estranhos que passam por nós.

A questão é se realmente vemos as pessoas por trás de tantas concepções prévias que temos sobre elas. Na maioria das vezes, a resposta é um sonoro não.

Segundo Madre Teresa, "o maior mal atualmente não é a lepra nem a tuberculose, mas o sentimento de não pertencimento". Vivemos nossos relacionamentos diários no piloto automático, e essa interpretação irrefletida do mundo pode conduzir ao distanciamento, o que nos leva a uma forma de adoecimento.

Simples assim.

A ironia de viver na era digital é que, embora existam múltiplas formas de conexão, nos sentimos mais desconectados e solitários. É como se estivéssemos num transe em que nosso cérebro transforma todas as pessoas em objetos – e é difícil se conectar com um objeto. No entanto, as possibilidades de conexão e de pertencimento estão sempre presentes. Basta abraçá-las.

※

PRATIQUE!

Experimente praticar isto hoje ao entrar em contato com qualquer pessoa:

1. *Deixe de lado as lentes do preconceito.* Acredite se quiser, muitas vezes julgamos uma pessoa assim que a vemos. Pode ser pela cor da pele, pela cultura, por uma lembrança que temos dela ou por sua expressão facial. Veja se consegue deixar isso de lado por um momento e vê-la com olhos renovados.

2. *Enxergue a pessoa.* Você está diante de alguém com uma história de aventuras, fracassos, amores, medos, arrependimentos, vitórias, traumas, família e amigos.

3. *Procure imaginar qual é o desejo ou a necessidade mais profunda dessa pessoa.* Provavelmente a resposta está em você e tem a ver com ser bem tratado, se sentir pertencente.

4. *Faça um gesto ou uma ação que satisfaça esse desejo ou essa necessidade.* Sorria; ofereça ajuda; escute a pessoa; se for um amigo ou familiar, diga que o ama. Há muitas maneiras

de proporcionar ao outro as sensações de pertencimento e atenção.

A realidade é que, quando nos sentimos compreendidos e valorizados, surge um sentimento de aceitação e pertencimento. Isso derruba as barreiras e melhora os relacionamentos, mas, como qualquer outra coisa, exige prática.

Assim como a pedra atirada no rio cria ondulações na água, um momento de conexão consciente cria ondulações de pertencimento aonde quer que você vá.

8

As dádivas da imperfeição

❈

Pode ser que você já tenha lido a maravilhosa história de Corduroy, um ursinho de pelúcia de uma loja de departamentos. Corduroy tinha uma imperfeição: faltava um botão em sua roupa. Um dia, uma menina quer comprá-lo, mas a mãe dela diz: "Hoje não, querida, já gastamos muito. Além disso, ele tem um defeito: falta um botão." O ursinho fica chateado e, depois que elas vão embora, se aventura pela loja em busca de seu botão perdido. Ele nunca o encontra, mas no dia seguinte a menina volta à loja e compra Corduroy com defeito e tudo. O ursinho ganha um lar e uma amiga.

Esse é um livro famoso, lido por milhões de crianças (e seus pais). Por quê? Porque aborda um tema com o qual todo mundo se identifica: a ideia de ser merecedor de amor mesmo sendo imperfeito. Todo mundo se sente vulnerável e tem um botão faltando em algum lugar. Talvez você se sinta inadequado por conta de ansiedade, depressão, obsessões, vícios ou por alguma característica física. No fundo, todo mundo quer sentir que pertence a algum lugar, todo mundo quer um lar e um amigo.

> Estar em harmonia com a totalidade das coisas é não ser ansioso em relação às imperfeições.
>
> – Dogen Zenji, professor japonês de zen-budismo

Notícia bombástica: ser imperfeito é ser humano. Poderíamos dizer que "somos todos perfeitamente imperfeitos". Diminuir a ansiedade por nossas imperfeições não significa ser condescendente com falhas que podem ser prejudiciais à nossa saúde física e mental. Sempre é possível se esforçar para mudar. O importante é entender que todos somos imperfeitos e começar a praticar a gentileza em vez do medo e do ódio por nós mesmos. Como seriam os dias, semanas e meses seguintes se fôssemos mais gentis com nossas imperfeições?

❧

PRATIQUE!

Ok, vamos ser práticos. Como isso funciona no dia a dia? Em três passos:

1. *Reconheça a imperfeição.* Comece aceitando que você é imperfeito, como todo mundo.

2. *Identifique as críticas.* Em qualquer momento pode surgir um pensamento negativo, como "Mas eu tenho muito mais imperfeições que a maioria" ou "Não estou seguindo direito essas práticas, não vou conseguir". Se isso acontecer, lembre que esse é um pensamento automático, fruto do hábito (porque é isso que ele é), aceite-o e avance para o terceiro passo.

3. *Reeduque-se com gentileza.* Traga gentileza ao momento. Direcione sua atenção ao que você está sentindo nesse instante. É provável que seja uma sensação física relacionada a uma emoção – vergonha, nojo, medo, tristeza, raiva, etc. Toque o local onde está o sentimento e o imagine como um bebê. Você pode até imaginar a si mesmo como um bebê ou uma criança pequena. Agora, diga a essa parte do seu corpo: "Eu me importo com sua dor e te amo do jeito que você é." Se preferir, use suas próprias palavras. Faça isso por 30 segundos ou 30 minutos, o que achar melhor.

Cada momento é uma oportunidade para aprimorar a atenção plena e a autocompaixão. Agora mesmo, enquanto lê isto, você pode estar cético e crítico, pensando algo como "Que ridículo!" ou "Eu nunca faria isso". Todos temos pensamentos negativos automáticos, alguns há muito tempo. A boa notícia é que seu aparecimento é a oportunidade de tentar se livrar deles. Assim você reassume o comando e transforma a experiência – não as críticas precipitadas – em sua instrutora.

9

Pratique com outras pessoas

✣

Desde que surgiu na Terra, o ser humano sempre valorizou muito a comunidade. Todas as tradições de sabedoria do mundo consideram a comunidade um pilar do bem viver. As pessoas que nos cercam afetam nosso modo de viver. Se passamos a maior parte do tempo com pessoas que discordam de nossos valores, elas nos enfraquecem. Se convivemos com pessoas que concordam com nossos valores, elas nos acolhem e nos estimulam. Encontrar companhia para praticar a atenção plena vai ajudar você a incorporar a técnica à sua vida e à de outras pessoas.

Em 2007, os cientistas sociais Nicholas Christakis e James Fowler realizaram um estudo que mostra o impacto das nossas redes sociais (reais). Eles analisaram os relacionamentos de 12.067 pessoas que, juntas, tinham mais de 50 mil conexões. O estudo não só constatou que pessoas com os mesmos interesses se unem como também revelou aspectos interessantes de nossos hábitos. A obesidade, por exemplo, é "contagiosa" entre amigos com até três graus de separação. Em outro estudo, de 2010, eles descobriram que a solidão e a felicidade também são replicadas entre amigos com até três graus de separação.

Ainda não se fez um estudo sobre isto, mas, se muitos comportamentos habituais e emoções se propagam em até três graus, podemos imaginar que o mesmo aconteça com a atenção plena. Compreender o impacto das conexões sociais em nossa vida e escolher objetivamente com quem passamos nosso tempo pode fazer muita diferença na integração da atenção plena em nossa vida.

❈

PRATIQUE!

Isso não significa que você deve se afastar dos seus amigos que não praticam a atenção plena. Eles podem contribuir para sua vida de outras maneiras. Mas é importante que você encontre pessoas, dentro e fora do seu círculo, engajadas em viver de maneira consciente.

Veja cinco maneiras de começar a fazer isso agora mesmo:

- *Comece por seu círculo*. Procure amigos, familiares ou colegas de trabalho que tenham interesse na prática da atenção plena.

- *Procure uma comunidade maior*. Como muitas pessoas praticam a atenção plena em todo o mundo, considere se juntar a grupos virtuais e participar de encontros on-line.

- *Procure grupos locais*. O Meetup e o Facebook são fontes maravilhosas para encontrar pessoas que praticam a atenção plena perto de você.

- *Encontre um curso on-line.* O site emindful.com oferece cursos de mindfulness on-line (em inglês).

- *Faça um retiro.* Outra opção é participar de retiros de prática.

A boa notícia é que atualmente a atenção plena está mais conhecida do que nunca. Isso significa que cada vez mais pessoas estão dispostas a se tornar mais presentes. Pare por um momento agora ou marque um encontro consigo mesmo mais tarde para explorar essa ou outras opções e começar a formar sua pequena comunidade.

PARTE 2
Respire

10

Simplesmente respire

❊

Como já mencionamos, o rabino e pacifista Abraham Joshua Heschel disse certa vez: "Vida é rotina, e rotina é resistência ao milagre." A mente humana é tão poderosa que é capaz de fazer com que segundos se tornem minutos, horas, dias, semanas, meses e anos. Um dia, você acorda e pensa: *Como foi que cheguei aqui?* Felizmente, temos uma excelente ferramenta portátil que nos acompanha em todos os momentos e que nos convida a parar e apenas "ser" na vida, em vez de cair na armadilha de "fazer" tanta coisa.

Essa ferramenta é a respiração.

À medida que nos conscientizamos do processo fundamental de estar vivo, percebemos a tendência da mente a se dispersar. Também notamos como uma prática simples – embora nem sempre fácil – como a da respiração consciente pode rapidamente nos trazer de volta ao momento presente e a sua plenitude.

Ao longo da Parte 2, você será orientado a seguir um passo a passo para estimular a respiração a se tornar uma fonte de atenção plena em seu cotidiano. Vai aprender a se preparar para a prática, a descobrir a postura certa para você, a lidar com sua "mente de macaco" (pulando de galho em galho) e até mesmo a superar um dos principais obstáculos, que é a falta de tempo para praticar.

Quando aprendemos a ter consciência da respiração, começamos a sentir na prática tudo que deu origem a esse modismo científico – como algo tão simples pode ser um antídoto para estresse, ansiedade e impaciência, e também como pode esclarecer a natureza da nossa mente e conduzir a estados de compreensão e relaxamento. Tornar-se íntimo da própria respiração pode ampliar o tempo entre estímulo e resposta, o que permite sair da rotina, abrir-se à liberdade e optar por prestar atenção nas maravilhas ao redor.

※

PRATIQUE!

Não importa se esta é a primeira vez que você está prestando atenção na respiração dessa forma ou se é praticante de mindfulness há muito tempo; dedique alguns segundos a usar a mente de principiante na sua respiração. Onde você a sente mais forte? Na ponta do nariz, no interior das narinas, no lábio superior, no tórax, no abdômen? Em outras partes? Ou talvez no corpo todo? Neste momento, ela lhe parece superficial, profunda ou um meio-termo? Percebe alguma diferença na temperatura quando inspira e expira?

Nas próximas páginas, vamos preparar você para uma meditação focada na respiração, mas, por enquanto, queremos iniciar esse processo de modo informal. Defina hoje a intenção de tomar consciência da sua respiração de vez em quando. O que você percebe enquanto está aguardando numa fila, preso no trânsito, trabalhando, conversando com seu cônjuge ou um amigo, ou mesmo ao se deitar para dormir?

O que acontece quando você observa a respiração com atenção e interesse? A sensação é agradável, desagradável ou neutra?

De vez em quando, permita que a vida seja simples assim.

11

Prepare-se para praticar

❊

Há muitas maneiras diferentes de ensinar a atenção plena, mas, de acordo com a nossa abordagem, existem algumas coisas que ajudam a aprimorar e aprofundar a prática desde o início.

Use a mente de principiante
Antes mesmo de tentar fazer qualquer coisa, lembre que o importante não é o desempenho. Sua prática não precisa ser avaliada como uma meditação "boa" ou "ruim" – essa mentalidade baseada em desempenho foge completamente do foco. Se há algum objetivo na prática, é simplesmente se abrir ao que está aqui e agora e aprender.

Dedique-se
É quando você se dedica à atenção plena que ela se torna mais eficaz. Sua consciência tem uma característica de curiosidade descontraída, com ternura. É como se você estivesse prestando uma reverência respeitosa à vida que está sendo vivida, quer sua atenção esteja na respiração, no corpo ou na percepção dos sentidos.

Quando a pessoa sente dor, ela está consciente da dor, e a atenção tem a característica de querer ser solidária de alguma forma. É uma característica de cuidado e autocompaixão. Em outras palavras, você está praticando porque se importa consigo mesmo e porque talvez entenda que isso será uma dádiva também para aqueles ao seu redor.

Perdoe-se

Sua prática será totalmente imperfeita, assim como a de todos nós. Se, com o tempo, você esquecer de praticar, lembre-se de um exercício chamado "perdoar e convidar": perdoe-se pelo tempo perdido, investigue por que isso aconteceu e então, estando nesse lugar de consciência, convide-se a recomeçar.

A atenção plena é repleta de perdão. Sempre é possível recomeçar a estar presente em sua vida. Leva só um instante. No momento em que você percebe que não está presente, passa a estar – simples assim!

Agradeça a si mesmo

Talvez a parte mais importante seja agradecer a si mesmo toda vez que praticar. Quando terminar, parabenize-se por encontrar, em meio à agitação do cotidiano, um tempo para investir em seu aprendizado, sua saúde e seu bem-estar.

Isso imprime em sua memória que você se importa consigo mesmo o suficiente para prestar atenção em você. Essa energia afetuosa e autocompassiva tem o poder de curar. Como seriam os dias, semanas e meses à sua frente se você tivesse um volume maior dessa energia circulando pela sua mente e pelo seu corpo?

PRATIQUE!

Veja se consegue colocar em prática ao longo deste dia alguns desses elementos nas coisas que já está fazendo. Por exemplo, se estiver ouvindo uma pessoa querida, será que consegue parar de julgar e usar a *mente de principiante*? Como seria *se dedicar à prática* com uma atenção afetuosa e até mesmo *se perdoar* se você não disser a coisa certa ou se sua atenção se desviar? Por fim, *agradeça a si mesmo* por ser tão atento à sua vida naquele momento.

Você pode fazer isso durante qualquer atividade.

12

Espaço, tempo e postura

❊

Quando se trata de arranjar tempo e iniciar uma prática de meditação baseada na respiração, é importante considerar onde a prática será realizada (espaço), em que horário (tempo) e em qual posição (postura). Compreenda esses três princípios e você terá uma excelente base para os próximos capítulos.

Espaço

Você pode ter consciência da sua respiração em qualquer lugar do mundo – seja na rua mais movimentada de Nova York ou numa remota caverna do Himalaia –, mas, para quem está começando, um local tranquilo ajuda na concentração. Muitas pessoas acham importante criar um espaço de meditação dentro de casa (no quarto, no escritório, na sala), mas você também pode se instalar na varanda, no terraço ou mesmo debaixo de uma árvore, se o ambiente ao redor for tranquilo. O fundamental é encontrar um lugar onde se sinta confortável para meditar todos os dias.

Tempo

Se tem um problema que atrapalha a prática da atenção plena é a dificuldade em arranjar tempo. Por isso é que é tão importante se preparar desde o início. Permita-se experimentar até encontrar a melhor hora para praticar. Pela manhã, no intervalo de almoço, ao chegar do trabalho ou, quem sabe, na hora de dormir? Você também pode testar a duração da prática. Comece com apenas 5 minutos, aumente para 10, depois para 15. O mais importante é encontrar tempo, portanto, se você só consegue se sentar na beirada da cama e fazer algumas respirações profundas conscientes antes de dormir, que seja. Permita-se descobrir o que funciona melhor para você e então se comprometa a dedicar esse tempo todos os dias. Marque-o como prioridade na sua agenda, como um encontro de meditação consigo mesmo.

Postura

A verdade é que não existe uma postura "certa" para praticar. Em geral, recomenda-se estar sentado confortavelmente sobre uma almofada, uma cadeira ou um banco de meditação. Ou seja, em qualquer posição em que você se sinta confortável e disposto.

Almofada
Compre uma almofada de meditação ou apenas dobre uma almofada comum e se sente na ponta. A postura tradicional é se sentar com as pernas cruzadas ou com uma perna dobrada na frente da outra. Você também pode ficar na posição de lótus (ambos os pés pousados nas coxas) ou na posição de meio lótus

(apenas um pé apoiado na coxa). Mantenha as costas eretas, mas não rígidas, e os joelhos mais baixos que o quadril. Se não conseguir deixar os joelhos mais baixos que o quadril e ainda preferir se sentar numa almofada, pegue duas almofadas ou dois cobertores e coloque sob os joelhos como apoio. Dessa forma suas costas não precisam sustentar os joelhos.

Banco
O banquinho de meditação permite sentar com as pernas acomodadas embaixo dele, o que muita gente acha confortável. Além disso, o formato do banco coloca você numa postura que facilita manter as costas retas.

Cadeira
Se escolher uma cadeira, apoiar os pés no chão vai ajudar a manter uma postura mais atenta, além de permitir que a respiração flua livremente.

Tudo isso são apenas sugestões. À medida que experimentar as práticas, você vai descobrir o que o deixa mais à vontade e o que funciona melhor para você.

❧

PRATIQUE!

Um fator que achamos inestimável na busca por local e tempo é ter alguém com quem praticar. Não é essencial, mas ajuda muito na motivação. Também ajuda a se sentir mais conectado a pessoas com o mesmo interesse. Veja se consegue se lembrar de algum conhecido que queira começar essa jornada ao seu lado. E praticar juntos não é bom só para você – pode ser exatamente o que seu companheiro estava procurando.

13

A respiração como âncora

❧

Treinar a mente para ter mais consciência da respiração pode ajudá-lo não só a manter o equilíbrio em momentos de estresse, mas também a melhorar o foco e a concentração, seja no trabalho ou em casa. Não existe uma maneira correta de respirar; a única orientação é fazê-lo naturalmente. Ao inspirar e expirar, apenas preste atenção no ar entrando e saindo. Simples assim.

Mas não se deixe enganar – não é tão fácil. O cérebro não para e as distrações serão tentadoras. Também é possível que você fique disperso ao sentir tédio, inquietação ou frustração. Ou talvez um som desvie sua atenção.

Sempre que você percebe alguma dessas "distrações", está atento. É aí que pode escolher voltar ao momento, e de novo, e de novo. A prática intencional do retorno ao presente, percebendo a distração e reconhecendo onde sua mente esteve, é uma maneira de cultivar um dos fundamentos do MBSR: o conhecimento e a confiança em si mesmo. Isso é poderoso.

Você está aprendendo que, embora se distraia de vez em quando, sempre pode retomar sua intenção de estar presente ao que importa. Esse tipo de exercício fortalece a capacidade de concentração, ao ensinar a prolongar a atenção na respiração. Assim como levantar pesos na academia desenvolve massa muscular, a repetição fortalece a mente, tornando mais fácil trazer o foco de volta à respiração. Aos poucos, isso trará calma e estabilidade à mente e ao corpo, e criará condições favoráveis para o surgimento de uma compreensão mais profunda.

❊

PRATIQUE!

Sente-se – agora mesmo – em uma posição confortável (como vimos no Capítulo 12). Leia as instruções a seguir e realize a prática. Você pode usar um cronômetro para marcar de 5 a 10 minutos ou acessar as meditações guiadas por voz (em inglês) em <www.newharbinger.eom/31731>.

1. *Comece com um check-in interno*. Vale a pena iniciar qualquer prática formal se perguntando: *De onde estou partindo?* Observe como está se sentindo (fisicamente). Existe alguma tensão ou rigidez que você possa aliviar? Observe também seu ponto de partida emocional. Você está estressado, ansioso, inquieto, calmo ou neutro? Sua mente está agitada ou já começou a sossegar?

2. *Seja curioso em relação à sua respiração*. À medida que avança na prática, tenha a curiosidade de saber em que partes do corpo você sente mais nitidamente sua respiração. É na ponta do nariz, nas narinas? No movimento do peito ou do

abdômen? Ou em todo o corpo? Seja onde for, é para lá que você vai direcionar sua atenção durante a prática.

3. *Respire*. Ao inspirar, apenas fique atento à parte do seu corpo em que você percebe mais nitidamente sua respiração. Se conseguir fazer isso, trate de fazer o mesmo ao expirar.

4. *Retorne*. Se sua mente se desviar para um pensamento, uma emoção ou um som, saiba que é porque você está presente e felicite a si mesmo. Então perceba para onde sua mente foi e guie-a de volta suavemente. Não se trata de medir por quanto tempo você consegue permanecer focado na respiração; o importante é simplesmente trazer sua mente de volta, quantas vezes for preciso. É uma maneira de treinar o cérebro para retornar e de começar a aprender mais sobre si mesmo e sobre o funcionamento de sua mente e seu corpo.

5. Repita diversas vezes o passo 4.

14

Faça as pazes com sua mente

❊

Os psicólogos Matthew Killingsworth e Dan Gilbert, de Harvard, criaram um aplicativo para iPhone chamado "Track Your Happiness" para medir com que frequência a mente se afasta do que julgamos importante e como isso afeta nossa felicidade. O aplicativo enviava notificações ao longo do dia, para que os participantes observassem se estavam prestando atenção no que queriam, se estavam felizes, etc. Eles descobriram que a mente das pessoas vagueia durante 46,9% do tempo e que isso estava relacionado ao sentimento de infelicidade.

Ao praticar a respiração como âncora (Capítulo 13), você deve ter notado como sua mente divaga com facilidade. A boa notícia é que a mente divagante só o torna infeliz se você considerar a divagação negativa. Lembre que o objetivo não é focar na respiração por muito tempo, mas aprender a prestar atenção nela. Se a mente vagueia muito, você percebe que ela está agitada. Se vagueia com frequência sobre um mesmo assunto, é sinal de que esse assunto precisa de atenção, e mais tarde você pode escolher se concentrar nele.

A mente de todo mundo vagueia, mesmo a de quem medita há

cinquenta anos. É parte de como ela funciona. Na realidade, você poderia argumentar que quanto mais a mente divaga, maiores são as oportunidades para treiná-la a ver "pontos de escolha" e trazê-la de volta. Aquilo que treinamos e repetimos vira hábito – logo, você está fortalecendo o hábito de escolher.

Para poupá-lo de sofrimento, sugerimos que não tente fazer sua mente vaguear menos. A atenção plena ajuda a aprender a dançar com a mente e a ganhar mais confiança nela. Apesar de Killingsworth e Gilbert terem descoberto que "uma mente divagante é uma mente infeliz", acreditamos que isso não é totalmente verdade. Diríamos que tem mais a ver com sua maneira de se relacionar com sua mente – isso faz toda a diferença. Quando você se relaciona com a mente divagante com as posturas e práticas da atenção plena, não está infeliz: está se reconciliando com sua mente.

✤

PRATIQUE!

Nos próximos dias, procure observar quando sua mente se afastar do assunto em que pretendia prestar atenção. Talvez você queira responder a e-mails de trabalho, mas se flagre devaneando sobre a vida ou olhando as redes sociais. Ou então seu amigo, parceiro ou filho esteja falando com você e, em vez de ouvi-lo, sua mente esteja elaborando o próximo grande argumento contrário. Sempre que notar sua mente vagueando, lembre que isso não é ruim; é um momento de conscientização, um ponto de escolha para identificar aonde ela foi e trazê-la de volta suavemente.

Com a prática, você vai ficar cada vez melhor em fazer as pazes com sua mente.

15

Descubra a gratidão

✹

Se você está respirando, é porque está vivo e seu corpo está funcionando: os pulmões estão trazendo oxigênio para o corpo, o que lhe dá energia, ajuda a digerir os alimentos, elimina toxinas, abastece os músculos e faz o coração bater. Quando pensamos na respiração dessa maneira, cada inspiração é um presente e a consciência da respiração pode fazer florescer o poder restaurador da gratidão.

De que modo a gratidão promove a cura? Em 2003, Robert Emmons e Michael McCullough realizaram um estudo chamado "Counting Blessings versus Burdens" (Contando bênçãos versus tormentos). Eles dividiram os participantes em três grupos. O primeiro contou cinco coisas agradáveis por dia, o segundo contou cinco tormentos por dia e o terceiro apenas relatou eventos neutros. Como você deve ter adivinhado, o grupo que descreveu apenas coisas agradáveis ficou menos estressado e teve mais sentimentos associados ao bem-estar.

O sentimento de gratidão surgiu em todas as nossas turmas do MBSR – sem exceção. A razão disso é simples: estamos finalmente voltando para nós mesmos. Um simples exercício de respiração permite reconhecer que as dádivas da vida podem nos libertar das amarras da rotina. Quando aprendemos a parar e prestar atenção na vida, nossos olhos começam a se abrir às maravilhas que nos rodeiam.

※

PRATIQUE!

O teólogo, filósofo e místico Meister Eckhart afirmou: "Se a única oração que você fez na vida foi de agradecimento, isso basta". Qualquer que tenha sido sua experiência com a gratidão no passado, tente, agora, pensar com a mente de principiante, como se fosse a primeira vez.

Além de perceber os seus sentidos (Capítulo 2), há outras quatro maneiras de descobrir a gratidão agora mesmo:

1. *De tempos em tempos, agradeça por respirar.* Ao praticar a respiração como uma âncora, tente se conscientizar de que o oxigênio é o que lhe permite estar vivo. Cada inspiração é uma fonte de nutrientes que sustentam seu corpo.

2. *Mantenha um diário da gratidão.* Talvez você já tenha ouvido essa sugestão, mas quando foi a última vez que tentou colocá-la em prática? Foi exatamente assim que os participantes do estudo "Counting Blessings versus Burdens" apresentaram melhorias em seu bem-estar. Para isso, você pode utilizar um diário, um caderno ou um dos muitos aplicativos que existem para esse propósito. No fim de semana, tente reler tudo que anotou para absorver melhor.

3. *Lembre-se de quando os tempos não eram assim tão bons.* Pode parecer uma advertência de mau gosto, mas ela chama a atenção para coisas que temos agora e que talvez antigamente não tivéssemos, o que pode inspirar gratidão.

4. *Conecte-se com pessoas às quais você é grato.* A quem você é grato por ter em sua vida? Por quê? Essas pessoas o inspiram ou estimulam, seja em termos físicos ou emocionais? Crie o compromisso de se conectar mais com elas e tenha isso em mente quando estiver ao lado delas. As pessoas são as melhores fontes de gratidão.

Pense na leitura deste capítulo como uma semente de gratidão que foi plantada dentro de você. Regue-a regularmente e seu jardim florescerá.

16

Confie em sua experiência

❖

Você tem medo de parar de respirar de repente? Ainda bem que nosso sistema nervoso autônomo se encarrega dessa função vital. Podemos confiar que o ar vai entrar e sair. Se tivéssemos que assumir a responsabilidade pela respiração, provavelmente não teríamos sobrevivido como espécie.

A confiança é um sentimento admirável de cultivar. Ela faz com que nos sintamos seguros e protegidos, o que, em essência, é a base da felicidade.

A confiança começa em nós.

Quando nos aprofundamos na prática da respiração consciente, estamos basicamente nos aproximando de nós mesmos. A sensação é de voltar para casa. Podemos nos abrir para uma consciência mais ampla de confiança – da mesma forma que acreditamos que nosso coração vai bater, que nossos pulmões vão processar o oxigênio e que, para muitos, nossos olhos vão enxergar e nossos ouvidos vão escutar. Confiamos na mudança das estações.

Mas, quando se trata de acreditarmos em nós mesmos, o cérebro precisa de lembranças de experiências – digamos, quando a respiração nos ajudou a abrir espaço para algo bonito ou a acreditar que somos capazes de lidar com uma situação difícil. À medida que praticamos a respiração como âncora, acumulamos lembranças que poderão ser recuperadas no futuro. É assim que podemos usar a mente para criar um cérebro mais confiante.

Só que, como qualquer outra coisa, isso exige intenção, atenção e prática.

Infelizmente, muitos ainda sentem que ficar sentado durante 5, 10, 15 minutos (ou mais) apenas prestando atenção na própria respiração é estar vulnerável. O fato é que, ao longo do dia, a maioria de nós arruma mil atividades ou ocupações mentais para não ficar só. No entanto, quando você presta atenção na respiração, passa a confiar que consegue estar apenas na própria companhia. Com treino e repetição, o cérebro se transforma, e desse crescimento neural pode surgir um novo pensamento: *Eu sou capaz de lidar com isso. Vai dar tudo certo.*

Temos um papel ativo na nossa saúde e no nosso bem-estar. Todos temos um papel na aprendizagem sobre como moldar nosso cérebro para que confiemos em nós mesmos.

Esse processo começa agora, e mesmo quando nos desviamos do caminho é possível recomeçar, sempre.

❦

PRATIQUE!

Aprender a confiar em si mesmo é essencial para a felicidade. Além de continuar respirando de modo consciente, há várias outras maneiras de começar a desenvolver a autoconfiança no dia a dia. Uma delas é apenas se deitar no sofá ou na cama em qualquer posição aconchegante, o mais confortável possível. Em seguida, pergunte-se: *Como sei que estou confortável?* Por mais boba que possa parecer a pergunta, a resposta a ela ajuda a reforçar que você pode confiar na sua experiência.

Leve esse conceito com você a toda parte. Quando sentir algum desconforto, seja físico ou emocional, pergunte-se: *Como sei se isso é confortável ou desconfortável?* Assim você estará criando lembranças em que sua experiência coincide com o que está acontecendo. Isso reforça a autoconfiança.

Se você se mantiver atento à sensação, após certo tempo descobrirá que o conforto ou o desconforto nunca permanecem os mesmos. Não podemos nos apegar a nenhuma experiência, pois a natureza das coisas é ir e vir. Essa é uma lei natural – observe a liberdade que surge quando você começa a acreditar na impermanência da vida.

PARTE 3

Harmonize suas emoções

17

Pratique a "gentileza plena"

✤

"Mente" e "coração" são a mesma palavra em muitos idiomas asiáticos. Quando ouvimos a expressão "atenção plena", é importante entender que nela está subentendida uma atenção afável, gentil e calorosa. Prestamos atenção dessa forma porque nos preocupamos muito conosco, com as pessoas ao nosso redor e (em alguns casos) também com o mundo em que vivemos. Portanto, essa afabilidade faz parte da atenção plena. Não precisamos procurá-la; ela já está aqui.

Se você já assistiu a uma aula de MBSR, sabe que a ação generosa em relação a si mesmo e aos outros é percebida o tempo todo. Ela é percebida nos momentos em que as pessoas reconhecem estar enfrentando dificuldades e as aceitam em vez de resistir; quando notam o crítico interior muito atuante e internalizam a generosidade; quando reconhece que todas as nossas alegrias e tristezas são comuns aos seres humanos. Numa de nossas aulas, um aluno disse: "É quase como se a atenção plena devesse ser chamada de 'gentileza plena', porque é um modo de vida muito gentil." Quando cultivamos de maneira intencional estados de consciência amorosa, inevitavelmente constatamos que há muito mais coisas que nos unem do que coisas que nos separam, e nos sentimos mais conectados.

Ao aprofundar sua experiência com a presença consciente, você pode desenvolver mais generosidade, aprofundando também esse tipo de amor que faz parte da vida baseada na atenção plena. A ciência mostra que a gentileza com os outros pode funcionar como proteção contra o estresse (Poulin e outros, 2013) e que a autogentileza promove o bem-estar (Neff e Germer, 2013). A postura de gentileza é inerente a uma vida significativa. Além disso, ela é associada à redução da inflamação celular, que está na origem das doenças (Fredrickson e outros, 2013).

O Dalai Lama diz: "Minha religião é a gentileza." Como seriam os próximos dias, semanas e meses se todos tentássemos ser um pouco mais gentis?

❊

PRATIQUE!

Podemos fazer pequenas coisas para harmonizar nossas emoções. Agora mesmo, pense em algum ser (pessoa ou animal) fácil de amar. Imagine esse ser nos momentos mais felizes da vida dele. Reflita sobre o que faz você gostar tanto dele. Pense o que deseja a ele. Que ele seja feliz e saudável, que seja muito amado? Pegue uma foto dele ou o visualize em sua mente e fale: "Que você seja feliz, saudável e muito amado." Se estiver cheio de coragem, diga isso a ele – por mensagem, e-mail, telefone ou mesmo pessoalmente.

Permita-se demorar-se nessa prática intencional de harmonização do coração.

18

Ame a si mesmo

✣

Ao conhecermos Julia, seu estresse era evidente. Ela trabalhava cinquenta horas por semana em uma seguradora e fazia de tudo para manter um casamento saudável e cuidar de três filhos. Vivia num turbilhão de obrigações, com constantes pensamentos incômodos a convencendo de que não era boa o suficiente. Quando orientada a observar com gentileza sua experiência, uma voz irrompeu bem alto dentro dela: "NÃO!"

A falta de gentileza consigo mesmo parece ser a grande epidemia dos tempos atuais. Crescemos em uma cultura em que ser gentil consigo mesmo é considerado ser permissivo demais ou narcisista, mas a realidade é que se trata de uma das maneiras mais práticas de desenvolver uma mente saudável (e a saúde mental global). Imagine que você esteja na beira de uma estrada, ferido. O que precisaria fazer? O primeiro passo seria reconhecer a existência da ferida e examiná-la. Depois, cuidar da ferida limpando-a bem e aplicando um antisséptico, fazer um curativo. Por que nossa vida emocional seria diferente?

Se você estivesse preso em uma ilha para o resto da vida e tivesse que escolher uma companhia, não gostaria que fosse alguém gentil? Apesar de algumas pessoas serem mais predispostas à gentileza do que outras, qualquer um de nós pode desenvolver essa habilidade (Neff, 2011). Podemos inclusive cultivar a gentileza à medida que nos tornamos amigos de nossa própria alma. Sempre que utilizamos a "gentileza plena" com nós mesmos estamos plantando a semente do amor-próprio, que tem o maior poder de cura.

Com paciência e persistência, Julia enfim desenvolveu a autogentileza. No final do curso, ela disse, com lágrimas nos olhos: "Finalmente ouvi aquela voz interior dizendo 'Eu te amo', e acreditei."

PRATIQUE!

É fato que você é responsável por suas ações e tem um papel atuante na sua saúde e no seu bem-estar. Por que não dar um passo adiante e amar a si mesmo, ainda que, por enquanto, seja apenas 10% mais gentil? A vida sempre vai nos trazer estresse, aborrecimentos e desafios desagradáveis. Pense em alguma experiência difícil que você tenha tido recentemente. De que você precisava naquele momento? Força, segurança ou paz? Observe o que sente se começar a enviar estas intenções para dentro de si mesmo: *Eu posso ser forte, posso me sentir seguro, posso estar em paz.* Sua resposta é uma repulsa semelhante à de Julia? Ou uma sensação reconfortante?

Continue praticando ser seu melhor amigo. Qual é o risco? Será que assim você conseguiria reduzir o acúmulo de frustrações e ressentimentos e substituí-los por tranquilidade, segurança e liberdade? Em vez da gentileza ocasional, seja um pouco mais incisivo em seu propósito e pratique a gentileza radical.

19

Abra-se para a alegria

✣

Alegrar-se pela própria alegria e a dos outros é essencial para equilibrar o cérebro. No entanto, para o bem *e* para o mal, nosso cérebro tende a prestar mais atenção nos estímulos negativos do que nos positivos (Ito e outros, 1998). Se você estivesse caminhando pelo campo e visse um leão de um lado e uma cachoeira espetacular do outro, o que mais chamaria sua atenção? Por mais maravilhosa que seja a cachoeira, somos programados para sobreviver e transmitir nossos genes à próxima geração. Por isso é que todos os seus pensamentos negativos são mais persistentes que os positivos.

Mas espere, porque as más notícias não terminam por aí. Muitos de nós também somos programados para desconfiar da alegria. O cérebro acha que, se estivermos muito felizes ou alegres, podemos ser surpreendidos por potenciais ameaças. Além disso, algumas culturas nos ensinam que a disposição para a alegria e realizações é algo narcisista ou permissivo. Por isso tendemos a ser breves na hora de aproveitar os bons momentos. Brené Brown (2012) chamou isso de "alegria como mau presságio". Com a atenção plena, podemos ajudar o cérebro a evoluir para se sentir menos estressado e *também* ser mais aberto à alegria que é inerente à nossa vida e à de outras pessoas. Esse ato de gentileza plena desperta o coração.

※

PRATIQUE!

A prática a seguir tem como propósito estimular a percepção da alegria – e, talvez, dos obstáculos que surgem no caminho.

Alegre-se pela sua alegria
Experimente dizer as frases a seguir e veja o que elas despertam em você.

- *Que eu desfrute das minhas conquistas.*
- *Que eu me abra para a alegria que está em mim e seja feliz.*
- *Eu inspiro, eu me abro para a alegria; eu expiro, eu sorrio.*

Mesmo se você notar que está julgando esse exercício bobo ou autoindulgente, continue fazendo. Deixe-se guiar pela experiência, não pelas críticas.

Alegre-se pela alegria dos outros
Pense em um ser com quem você realmente se importa. Visualize essa pessoa ou animal e depois repita para si mesmo:

- *Que eu me abra para a alegria em você.*
- *Que o seu sucesso me traga prazer e felicidade.*
- *Que sua felicidade e sua sorte não o abandonem.*

Lembre-se: o único objetivo aqui é direcionar sua mente para seu coração. Enquanto realiza essa prática, observe qualquer sensação que surgir, seja física, emocional ou mental.

Alegre-se por toda a nossa alegria
Por fim, amplie essa prática a todas as pessoas (e, se conseguir, tente ouvi-las falando para você):

- *Que todas as pessoas tenham sucesso em tudo que se dispuserem a fazer.*
- *Que ninguém tenha ciúme nem inveja dos outros.*
- *Que todos aqueles que têm muita sorte a dividam com outros.*

Saiba, ao percorrer a jornada da vida, que não existe ninguém mais merecedor de bondade e alegria do que você. Não é culpa sua que seu cérebro se defenda contra a alegria – é apenas como as coisas são. Por isso é tão importante buscar a harmonia com um coração atento.

Procure plantar a semente da intenção de estar consciente da alegria. Quando a alegria surgir, pergunte-se:
Será que, neste momento, eu consigo me alegrar pela alegria que sinto?
Veja o que acontece.

20

Sorria (faz bem)

❧

As poderosas lições que extraímos do Programa de Redução do Estresse são sérias demais para serem levadas a sério. Precisamos tomar o cuidado de amenizá-las com um pouco de leveza e humor. O Dalai Lama fala com frequência do poder do bom humor e do sorriso, não só para harmonizar nossas emoções como para criar uma ponte entre as pessoas, até mesmo entre inimigos. A ciência mostra que o sorriso, especialmente aquele que aciona os músculos em torno dos olhos, cria um tipo específico de ativação cerebral que tem relação com um estado de espírito mais feliz e mais gentil (Ekman, Davidson e Friesen, 1990). Uma pesquisa recente mostrou que esse tipo de sorriso – conhecido como "sorriso de Duchenne" – promove a estabilidade da frequência cardíaca e uma recuperação mais rápida das atividades estressantes (Kraft e Pressman, 2012).

Às vezes, quando estamos praticando a atenção plena, é quase como se o tipo de atenção de que precisamos fosse um sorriso acolhedor – o tipo de sorriso que se dirige a um recém-nascido, tão frágil e vulnerável. A ideia é autodirecionar esse tipo de atenção calorosa e gentil. Como não é fácil, podemos começar praticando com algo externo, e com o tempo aprendemos a ajustar internamente a característica da "gentileza plena".

Acaba que a prática de estar atento ao sorriso e ao bom humor na vida cotidiana pode ser ainda mais benéfica que harmonizar o coração. Sorrisos, risadas e gargalhadas são contagiantes! Se você duvida disso, pesquise no YouTube "Laughter Attack at a Bus Stand" (uma série de vídeos de ataques de riso). O ativista e monge budista vietnamita Thich Nhat Hanh diz: "Às vezes a alegria é a fonte do sorriso, outras vezes o sorriso pode ser a fonte da alegria."

Agora, deixe os julgamentos de lado e pergunte-se: como a sua vida seria se tivesse mais sorrisos e risadas? Como seria o mundo se houvesse um pouco mais de sorrisos e risadas – um lugar mais feliz e ainda mais gentil?

❖

PRATIQUE!

Sorrir aciona 17 músculos, enquanto fechar a cara aciona 43. Depois de fechar a cara aproximadamente 200 mil vezes, você ganha um vinco permanente na testa. Ou seja, sorrir contribui também para uma aparência melhor e mais jovem. Experimente sorrir mais intencionalmente hoje. Sorria para o caixa do supermercado, para os vizinhos, para amigos, para as pessoas que passam por você na rua. Sinta-se livre para rir em público – acaba sendo um ato de altruísmo. Se precisar de ajuda, procure no YouTube o vídeo "Benefits of Laughter Yoga with John Cleese" (Os benefícios da ioga do riso, com John Cleese) e veja o que você percebe.

Por que não começar a aplicar a atenção plena ao ato de sorrir agora mesmo?

21

Seja generoso

❧

Henry David Thoreau afirmou: "A bondade é o único investimento que nunca falha."

Hilde Back era filha de sobreviventes do Holocausto. Ela sentiu a necessidade de ser generosa e decidiu ajudar um jovem estudante queniano, Chris Mburu, por meio de uma organização beneficente. Passou a patrocinar os estudos dele, enviando uma quantia mensal para que ele pudesse continuar sua formação.

Esse ato de generosidade mudou para sempre a vida de Chris. Como ele adorava estudar, acabou se formando em Direito pela Universidade Harvard e passou a trabalhar como advogado especializado em direitos humanos na ONU. Chris então criou o fundo educacional Hilde Back, para proporcionar possibilidades às crianças quenianas da área rural.

A generosidade de Hilde gerou um efeito cascata, atingindo mais vidas do que ela imaginaria.

A generosidade é uma característica fundamental do MBSR, assim como a paciência, a aceitação e a gratidão. A intenção de dar pode ser uma forma de harmonizar o coração, além de um exercício visando à prática da generosidade. A melhor maneira de começar pode ser consigo mesmo. Muitas vezes nos sentimos culpados por aceitarmos a bondade, julgando que não a merecemos. A autogenerosidade ajuda você a se sentir "bom o suficiente" para aceitar a autogentileza sem culpa. Deixe de lado quaisquer críticas e observe a sensação de receber. Se notar surgir a crítica de que isso seria autoindulgente, questione-se: por que seria indulgente se amar? Quem mais se beneficia quando você se ama? Quais seriam as dádivas desse amor?

Depois de colocar sua proverbial máscara de oxigênio, pense como você poderia nutrir seu coração sendo generoso com outros. Assim como o sorriso e o riso, ser generoso é contagiante. Quando você é generoso, outros também são. Os cientistas sociais Nicholas Christakis e James Fowler (2010) mostram que ser generoso é contagiante. Pense naquelas notícias sobre pessoas pagando o café de outras que estavam atrás delas na fila, que retribuíram a gentileza. E a ação se prolongou por horas. Christakis e Fowler também descobriram que, quando estamos cercados de pessoas felizes, também ficamos mais felizes.

※

PRATIQUE!

Reflita neste momento: como você pode cultivar a fundamental postura de generosidade?

- Pense em algumas maneiras de ser generoso consigo mesmo. O próprio tempo que você vem dedicando a este livro, para seu aprendizado, sua saúde e seu bem-estar, pode ser visto como um ato de generosidade.

- Em relação aos outros, talvez você possa andar com alguns trocados no bolso para dar a pessoas desfavorecidas. Se não quiser dar dinheiro, que tal doar algum alimento?
- A partir de hoje, você poderia oferecer um pouco mais de sorrisos àqueles com quem convive?
- Que tal se dedicar mais a escutar o outro verdadeiramente – escutar com o coração e a mente?

A melhor maneira de preparar sua mente para a generosidade é praticar a pergunta: *Como posso me doar?*

Agora trace um plano e *pratique*!

22

Lembre-se de perdoar

✤

O perdão é outra postura fundamental da atenção plena que pode estimular a compreensão, a tranquilidade e a autonomia. Já foi provado que perdoar reduz o estresse, a raiva e a depressão e contribui de várias formas para o bem-estar e a felicidade.

Faça uma pequena experiência. Pense em alguém que o tenha menosprezado (talvez algo não radical) e por quem você sinta rancor. Imagine essa pessoa e pense na sua relutância em perdoá-la. Observe se surge uma destas emoções: raiva, ressentimento, medo, tristeza. Observe também como está seu corpo; está tenso em algum ponto ou parece pesado? Agora conscientize-se de seus pensamentos: são raivosos e vingativos?

Faça uma pausa antes de continuar a ler. Assimile a experiência.

A maior parte das pessoas que fazem essa experiência sente desconforto, pois ela desperta tensão, raiva e pensamentos hostis em relação a quem lhes fez mal. A experiência não faz surgir esses sentimentos do nada, apenas os revolve e expõe o que já existe dentro de nós. É um equívoco muito comum achar que perdoar significa isentar de culpa o comportamento do outro. Perdoar significa simplesmente sair desse ciclo interno de angústia.

É sincero e corajoso dizer: *Fui machucado. Vou deixar isso pra lá para não continuar sofrendo.* Afinal de contas, você já sofreu a dor; por que prolongá-la, apegando-se ao ocorrido como se isso fosse vingá-lo? Quando guardamos rancor, uma "história de ressentimento" se forma na nossa mente, e mantê-la dentro de nós é regar a semente do nosso próprio sofrimento.

Perdoar é aprender a se libertar dessa história, em nome do amor por si mesmo.

❦

PRATIQUE!

Vamos lhe mostrar agora como afastar os rancores e se harmonizar com um coração consciente. Enquanto realiza essa prática, lembre-se de que está fazendo isso por si mesmo, para cultivar a paz dentro de si, não para eximir ninguém.

1. *Articule.* Pense em alguém por quem você sente rancor e explique por que foi errado o que essa pessoa fez.

2. *Tente entender.* Reconheça que sua maior angústia vem da mágoa que você está sentindo neste momento, não do que a pessoa lhe fez dois minutos (ou dez anos) atrás.

3. *Escolha.* Decida se você está pronto para se livrar desse peso.

4. *Veja quem está sofrendo.* Em vez de reviver mentalmente sua antiga mágoa, tente reconhecer que está sofrendo agora, neste momento, e pergunte-se: *Do que eu realmente preciso?*

Você precisa se sentir seguro, compreendido, amado, livre? Se puder, entre em contato com a pessoa para fazer as pazes. Se não for possível, busque novas formas de atender sua necessidade.

5. *Pratique a gentileza plena.* Em vez de se concentrar em seus sentimentos feridos, o que só dá poder à pessoa que o magoou, aprenda a enxergar o amor, a beleza e a gentileza ao seu redor. O perdão é um exercício de poder pessoal.

Mude sua história de ressentimento para lembrar a si mesmo a escolha heroica que é perdoar.

23

Seja suave

✤

Mahatma Gandhi disse: "Com suavidade, é possível sacudir o mundo." Um elemento central em todas as práticas de mindfulness é a postura de gentileza. Aliás, outra maneira de definir "atenção plena" seria "intencionalmente prestar atenção de uma forma *suave* enquanto deixamos de lado nossos preconceitos programados". Ser gentil consigo mesmo é uma forma de suavizar o coração. Mesmo durante um simples exercício de respiração, ouvimos a instrução: "Quando perceber que sua mente está vagueando, apenas observe o que está pensando e, *suavemente*, guie sua consciência de volta para a respiração." Essa suavidade é intencional. Queremos que nosso cérebro seja conscientemente suave repetidas vezes, de modo a aumentar as chances de que isso aconteça automaticamente no cotidiano.

Ao se inscreverem num programa de MBSR, as pessoas tendem a uma forte autocrítica, ou, se estão tendo um sentimento desagradável, tendem a suprimi-lo. É uma tendência ao *descuido*. Ser suave na vida significa mudar radicalmente e passar a fazer as coisas com atenção. Quando pegamos um recém-nascido no colo, quando seguramos uma xícara de chá fumegante ou quando transferimos uma planta para outro vaso, nossos movimentos são suaves. Se você parar para pensar, em geral somos suaves com coisas preciosas e delicadas. A própria vida é preciosa e delicada.

Paradoxalmente, muitas vezes são as experiências desagradáveis que nos proporcionam as maiores oportunidades de praticar a energia essencial da gentileza. A energia da atenção plena é como um pai ou irmão mais velho segurando um bebê: há ternura nos cuidados com a criança. A atenção plena trata os sentimentos desconfortáveis com suavidade, como se fossem um bebê. Durante uma prática de respiração, uma participante de um dos nossos cursos disse que sentiu uma grande inquietação. Perguntamos a ela: "Você conseguiu identificar em que área do corpo sentiu isso?" Ela refletiu e respondeu que "era uma tensão nos ombros", que aliás não tinha passado e era desconfortável. A turma fez silêncio enquanto perguntávamos: "Será que é possível, mesmo que por apenas alguns segundos, observar esse incômodo como se você segurasse um bebê, com suavidade e cuidado?" Ela se permitiu assimilar a experiência. Depois de alguns segundos, respirou fundo e relatou sentir alívio na tensão.

Ser brando é ser forte.

✽

PRATIQUE!

Você pode se tornar cada vez mais suave consigo mesmo simplesmente praticando no dia a dia. Tente passar um tempo caminhando com suavidade no seu ambiente de trabalho ou fique descalço e faça isso na terra. Como você se sentiria se preparasse uma refeição hoje com mais tranquilidade ou se comesse mais devagar? Consegue perceber como a criança está sempre viva em você? E, se uma emoção desagradável surgir alguns dias depois, você consegue se perguntar se essa criança precisa de suavidade em vez de autojulgamento? Conforme você pratica a brandura, observe se ela lhe vem naturalmente, como momentos de delicadeza ao longo do dia.

Que você siga com suavidade pelos dias que virão.

24

Abra seu coração para os outros

✤

Todos os dias nos olhamos no espelho, mas não vemos de fato a pessoa no reflexo; é mais provável olharmos para ver se nosso rosto ou corpo está apresentável. E todos os dias fazemos o mesmo com as outras pessoas, seja em casa, no trabalho ou na rua. O cérebro separa as pessoas como objetos, classifica-as e estabelece padrões para não ver de fato a pessoa. Afinal, a todo momento há coisas mais urgentes em que prestar atenção, como a mensagem que você acabou de receber no celular. A realidade é que, seja você mesmo se olhando no espelho, alguém próximo ou um estranho, pode ser que você nunca mais veja essa pessoa, e cada momento é a oportunidade de ver o caráter único do ser humano ali na sua frente.

Como seria se dispor a dedicar um tempo a focar em si mesmo ou nas pessoas que fazem parte da sua vida, contemplando a beleza e o mistério de outro ser humano? Todos aqueles que vemos a qualquer momento têm dons e pontos fortes que podem até não perceber. Por trás do olhar de cada um há uma fonte profunda de coragem, inteligência, paciência, generosidade, até de sabedoria. Cada pessoa tem potencial para ser mais forte do que imagina. Reserve alguns minutos para olhar nos olhos de um homem. Ele já foi uma criança, e essa criança ainda existe dentro dele. Depois, olhe para a mulher à sua frente como se fosse sua filha e veja a beleza que existe nela. Pense como você gostaria que ela apresentasse a própria beleza ao mundo. O que você deseja para esse homem e essa mulher? Talvez seu coração diga que deseja que sejam felizes, saudáveis, livres.

A atenção plena facilita a experiência de conexão com nós mesmos e com os outros. É como voltar para casa.

❦

PRATIQUE!

Como prática de hoje, experimente ser gentil consigo mesmo e com os outros. Veja se consegue absorver a experiência de ser gentil.

PARTE 4

Medite

25

Comece pelo corpo

✽

Nas três primeiras partes deste livro, você aprendeu muitas maneiras informais de aplicar as técnicas do MBSR na sua vida. Isso preparou você para a meditação da atenção plena. A prática formal do MBSR consiste em dedicar intencionalmente um tempo às meditações de mindfulness. Na Parte 4, além das práticas fundamentais do MBSR, você vai aprender a lidar com os inevitáveis desafios que surgem ao fazer as meditações e a adotar as posturas mentais necessárias para que sua prática dê resultado. No MBSR, a prática formal começa com o corpo.

Desde o momento da concepção, uma série de instruções genéticas é executada para formar esse mesmo corpo que você está usando para segurar este livro e ler estas palavras. Diversos elementos – oxigênio, carbono, hidrogênio, nitrogênio, cálcio e fósforo – se combinam para produzir os 37 trilhões de células do seu corpo. Se essas células fossem colocadas em fila, dariam mais de duas voltas na Terra. Cada uma delas possui funções que nos mantêm saudáveis e funcionando. Algumas transportam oxigênio para as partes do corpo que precisam, outras são programadas para nos defender de bactérias e vírus. Tem também as células que transmitem informações – agora mesmo, enquanto você lê estas palavras, as células estão levando informações dos seus olhos para o cérebro. Todas as células que compõem nosso corpo trabalham incansavelmente para nós, mas quantas vezes paramos para nos sintonizar com a maravilha desse corpo?

> Quando estamos com dor de dente, sabemos que não ter dor de dente é maravilhoso. Mas quando não estamos com dor de dente, não estamos felizes por isso. A ausência de dor de dente é algo muito agradável. Existem muitas coisas agradáveis, mas não as apreciamos quando não praticamos a atenção plena.
>
> Thich Nhat Hanh

Se nosso corpo está funcionando bem, não prestamos atenção nele. A atenção plena nos apresenta uma forma de praticar a sintonia com o corpo e de usá-lo como um barômetro de nosso estado emocional. Além disso, quando aplicamos a atenção plena ao corpo, ele nos revela os segredos de uma vida mais calma, realizada e confiante.

❈

PRATIQUE!

Experimente a meditação da varredura corporal. Encontre um espaço no chão para se deitar confortavelmente. Se estiver muito cansado ou se tiver alguma dor crônica que torne essa posição desconfortável, sente-se em uma cadeira ou escolha outra posição. Essa prática pode levar 5, 10, 15, 30 minutos (ou mais). Tente realizá-la todos os dias por no mínimo uma semana. Pode ser útil ler ou reler antes o Capítulo 11 (Prepare-se para praticar). (Você pode fazer o download do áudio dessa prática, em inglês, em www.newharbinger.com/31731.)

Os passos são bastante simples:

1. *Check-in interno*. Comece detectando seu ponto de partida em termos físicos, emocionais e mentais.

2. *Respiração como âncora*. Comece a se conscientizar do seu corpo respirando normalmente. Veja se consegue depositar sua atenção nesse ritmo natural de estar vivo. Se ajudar, repita mentalmente *Inspiro* quando inspirar e *Expiro* quando expirar.

3. *Dos pés à cabeça*. Aplique a mente de principiante a essa prática e observe como está se sentindo em termos físicos, mentais e emocionais. Comece pelos pés: as sensações nos dedos, na sola e no peito do pé, até mesmo nas articulações do tornozelo. Perceba como essas sensações se propagam e como repercutem até os pontos a que precisem ir. Ao percorrer as outras partes do corpo, você pode refletir sobre como cada uma delas permite que você funcione, despertando uma consciência apreciativa do mundo. No tronco, temos o coração, o estômago e os pulmões, órgãos que promovem a circulação, a digestão e a respiração. Conscientize-se de tudo isso também. Continue até chegar ao topo da cabeça.

4. *Respire*. Depois de percorrer o corpo, volte a direcionar seu foco para a respiração. Observe como todo o corpo se expande ligeiramente durante a entrada do ar e como se contrai durante a saída. Sinta o corpo em sua totalidade.

5. *Reconheça*. Finalmente, reconheça a escolha que você fez de realizar essa prática em favor da própria saúde e do próprio bem-estar. É uma demonstração de autocuidado.

26

Os cinco obstáculos

✤

Quando eu (Elisha) comecei a praticar meditação, percebi em mim muita resistência. Ficava inquieto ao tentar não me mexer, irritado por não conseguir me concentrar, duvidava que aquilo fosse fazer alguma diferença, quase adormecia em alguns momentos e a toda hora desejava estar fazendo outra coisa. Não percebi isso na época, mas eram os mesmos obstáculos principais que as pessoas enfrentam há milhares de anos. Compreendê-los e aprender a ter curiosidade em relação a eles não só me ajuda a contorná-los como também (talvez paradoxalmente) traz mais clareza e equilíbrio à minha prática e à minha vida de modo geral. Veja quais dos cinco obstáculos a seguir você reconhece em sua prática de meditação e no seu dia a dia.

1. *Vontades*. A mente nunca se dá por satisfeita, parece que está sempre desejando ardentemente alguma coisa. Antes de começar a praticar, sua mente pode querer que as condições sejam diferentes. Às vezes queremos tanto isso que nunca começamos a praticar, ou, quando começamos, a mente se distrai imaginando que está saboreando nossa comida preferida.

Esse estado de espírito pode impedir a prática, provocar distrações ou despertar inquietude.

2. *Irritação e aversão.* Se você não sentir que está tendo uma "boa" experiência de meditação, ou se houver um ruído chato no ambiente, é fácil ficar irritado. E, se não for verificada, a irritação pode levá-lo a desistir de meditar.

3. *Sonolência.* Muita gente fica cansada porque não dorme o suficiente, então é fácil sentir sono quando a mente agitada enfim relaxa. O corpo faz o que naturalmente quer fazer: descansar. Também é possível sentir sono quando uma experiência é muito intensa, daí a importância de procurar saber o que seu cansaço está tentando lhe dizer – que você precisa descansar mais ou que algum sentimento precisa ser expresso.

4. *Inquietação.* Se você já começou a praticar, deve ter percebido como é difícil ficar parado por um tempo. A mente é muito agitada, e desde criança somos treinados a fazer, fazer e fazer. A mente pode se rebelar um pouco enquanto aprende a apenas "ser" – talvez você a perceba enumerando milhares de tarefas a cumprir ou tentando contar os minutos até o final da prática. Tudo isso é perfeitamente natural.

5. *Dúvida.* A incerteza quanto à "eficiência" da meditação atormenta muitas pessoas no início do processo. Elas pensam: *Isso pode até funcionar para alguém, mas não para mim.* A dúvida se torna um problema quando sabota o impulso inicial e a capacidade de se permitir guiar pela experiência.

PRATIQUE!

O fato é: se você consegue reconhecer os obstáculos, pode enfrentá-los; e, se pode enfrentá-los, pode trabalhar com eles. Ao fazer isso, as dádivas virão. Por ora, a orientação é simples: escolha o obstáculo que mais atrapalha você e experimente observá-lo ao longo da semana. Por exemplo, se estiver se sentindo inquieto, tente identificar o momento em que isso começa a acontecer e investigue como a inquietação se expressa no seu corpo. Você pode fazer o mesmo com todos os obstáculos. Quando acabar, redirecione sua atenção para a prática. Se quiser, vá além da prática e descubra em que momento esses obstáculos surgem no seu dia a dia. Seja compreensivo consigo mesmo, lembrando que, ao se desviar, sempre é possível recomeçar.

27

Os cinco antídotos

❈

Ter consciência dos cinco obstáculos principais à prática (saber identificá-los e ter curiosidade a respeito deles) já é um excelente exercício, mas a atenção plena também nos mostra alguns antídotos para tais obstáculos e oportunidades de crescimento. Quando ganhamos consciência, passamos a ter condições de escapar de velhos padrões reativos alimentados pelo automatismo e de optar por uma resposta mais construtiva.

1. *Antídoto para o querer: curiosidade e satisfação*. Desejos costumam ter uma vida útil de 20 minutos ou menos. Se você perceber que está se desviando para um desejo, pratique reconhecer como está se sentindo, no corpo e na mente. Procure saber quais são seus desejos. Lembre-se de que a satisfação também pode ser obtida aqui e agora. Esteja atento ao surgimento desse anseio e, em seguida, observe-o se dissipar devagar. Sinta a satisfação que surge ao se libertar do querer. Podemos inspirar satisfação praticando estar à vontade com a maneira como são as coisas.

2. *Antídoto para a irritação e a aversão: atenção plena e autocompaixão.* Embora nosso desejo natural seja resistir a qualquer irritação que surja, temos que nos lembrar do ditado "Tudo a que se resiste persiste". Tente incluir a irritação como parte da experiência consciente. O que acontece quando permitimos que a irritação apenas esteja lá? Você consegue fazer surgir um pouco de autocompaixão? Diga a si mesmo *Que eu esteja à vontade* e veja o que percebe.

3. *Antídoto para a sonolência: concentração e autocompaixão.* Se de vez em quando você adormecer enquanto medita, pense que estava precisando desse cochilo. Se começar a acontecer muitas vezes, tente uma postura mais ereta, levante-se, mantenha os olhos entreabertos ou molhe o rosto antes de começar. Outra opção é meditar caminhando. Se estiver com coragem, experimente ser curioso; abra os olhos e investigue a sensação de cansaço. Ela é contínua? Ou vem e vai?

4. *Antídoto para a inquietação: atenção plena.* É importante reconhecer que a inquietação e o tédio são apenas sensações como qualquer outra. Experimente adotar a mentalidade de principiante e ter curiosidade quanto à sensação de inquietação. Ao fazer isso, você talvez perceba que essa sensação tem vida própria, sendo instável e mutante, aparecendo e desaparecendo. Ao reconhecer a inquietação, você pode, suavemente, trazer sua atenção de volta ao foco. Veja se essa inquietação pode se tornar um aprendizado sobre a natureza da mudança.

5. *Antídoto para a dúvida: atenção plena.* Ter dúvidas é natural. Uma maneira de assumir o controle disso é investigá-las

ativamente. Será que aquela dúvida provoca uma reação que o impede de vivenciar a prática? Verifique o valor da prática para você e liste seus benefícios. Não esqueça que pensamentos são apenas pensamentos, não são fatos (mesmo aqueles que alegam ser). Se perceber que a dúvida está contaminando sua prática, apenas observe e pergunte a si mesmo: *Será que essa dúvida faz sentido?* E depois: *O que seria diferente se essa dúvida não estivesse aí?* Em última instância, o objetivo da meditação é permitir que sua experiência – não as críticas reativas – seja sua mestra, inspirando clareza.

Utilizar os antídotos para cada obstáculo não só aprofunda nossa sensação de libertação da reatividade da mente como nos dá a oportunidade de reforçar fatores centrais para o bem-estar. Começamos a treinar a atenção plena com flexibilidade, clareza mental e compaixão, e nos sentimos mais confiantes em nossa capacidade de fazer escolhas sábias. Essa sensação de controle interno gera confiança e alegria.

※

PRATIQUE!

Sejam quais forem os obstáculos que você identifique na sua prática, comece a aplicar os antídotos contra eles. Se surgir a irritação, observe o que acontece quando você a trata como uma oportunidade para fortalecer a atenção plena. Use a mente de principiante para lidar com a sensação, sentindo como ela vem e vai. Reconheça seu esforço e regue a semente de um coração generoso repetindo para si mesmo: *Que eu esteja à vontade*. Veja qual obstáculo aparece com mais frequência e use o antídoto apropriado toda vez que ele surgir.

Ao fazer isso, transformamos obstáculos em oportunidades de aprendizado e de crescimento.

28

"Receba e entretenha a todos"

❈

No cérebro humano existe uma estrutura pequena, do tamanho e do formato de uma amêndoa, chamada amígdala. A função da amígdala é dar significado emocional aos estímulos que recebemos do mundo exterior: ela os classifica e avisa se devemos ir para perto ou para longe deles. A resposta da amígdala nos faz ter momentos de ansiedade, alegria, tristeza, vergonha ou raiva, entre outras emoções. Essas emoções são as energias vivenciadas no corpo e podem ser desconfortáveis, confortáveis ou neutras. Mas toda emoção está sempre "em movimento". Em seu maravilhoso livro *The Essential Rumi* (Rumi em essência), Coleman Barks traduz um poema de Rumi que mostra o tipo de postura desejável em relação aos nossos sentimentos:

> O ser humano é uma hospedaria.
> Toda manhã, uma nova chegada.
> Uma alegria, uma depressão, uma mesquinhez,
> alguma consciência momentânea surge
> como um visitante inesperado.
> Receba e entretenha a todos!

Mesmo que seja uma multidão de dores
que destroem sua mobília,
ainda assim trate cada hóspede honradamente,
pois ele pode estar esvaziando-o
para um novo deleite.
O pensamento sombrio, a vergonha, a maldade:
receba-os à porta com um sorriso e convide-os a entrar.
Agradeça por tudo que vier,
pois cada um foi enviado
como um guia.

Nosso estado emocional influencia nossa percepção de cada momento da vida. Quando estamos de bom humor, vemos determinada situação de uma maneira, mas, se estamos de mau humor, vemos a mesma situação de modo totalmente diferente. A consciência nos permite perceber esses filtros emocionais em ação e, assim, evita que sejamos escravizados por eles.

Ao aprendermos a nos harmonizar com o estado emocional do momento, temos a opção de lidar com as dificuldades de maneira gentil, estimulando as forças da autocompaixão e do amor-próprio. Quando identificamos emoções positivas, podemos escolher desfrutá-las e permitir que permaneçam até que passem. Em essência, reconectamos nosso cérebro com a confiança em que, não importa o que surgir, estamos preparados, e vai ficar tudo bem.

PRATIQUE!

É incrível o que pode acontecer quando começamos a trazer a consciência emocional para o primeiro plano da nossa intenção. O simples fato de nomear uma emoção difícil pode nos dar mais equilíbrio (Creswell e outros, 2007). No entanto, como disse Rumi, se realmente refletirmos sobre nossas emoções, elas podem se tornar alguns dos nossos melhores mestres.

Seja durante a prática da respiração ou da varredura corporal, as emoções surgirão naturalmente. Tenha curiosidade a respeito delas e veja o que acontece. Como essas emoções são vivenciadas no corpo? Que forma assume sua energia? Parece pesada ou leve? Talvez até lembre uma cor. Se for confortável para você, diga a si mesmo: *Tudo bem, essa emoção já está aqui, vou me permitir senti-la*. E, quando você fica com a emoção dentro de si, ela permanece igual ou muda, mostrando a impermanência das emoções? Você consegue se imaginar protegendo e ao mesmo tempo sendo protegido por ela?

É possível fazer isso no dia a dia. Ao ficar mais íntimo das suas emoções, você não apenas desenvolve inteligência emocional como reassume o controle e volta àquele espaço de escolha onde estão o aprendizado e as oportunidades.

29

Deixe estar e deixe ir

❦

Em todas as nossas turmas, percebemos uma linha tênue entre a experiência de deixar estar e deixar ir. Uma parte fundamental do MBSR é aprender a deixar estar, ou aceitar. Embora nossa reação automática seja tentar *fazer* alguma coisa em relação à sensação de desconforto, a resposta consciente é aprender a *aceitar* que há algo ali. Começamos a entender a natureza impermanente dos nossos pensamentos, emoções e sensações à medida que aceitamos sua presença, e, com o tempo, isso pode levar naturalmente à libertação. No entanto, algumas vezes percebemos que é hora de agir ativamente para nos libertarmos de algo – o que pode ser ainda mais difícil de fazer.

Há algumas maneiras de se libertar de uma emoção. A menos saudável é pela culpa, uma reação impensada do cérebro para tentar expulsar alguma emoção incômoda. Colocamos o desconforto sobre alguém ou sobre nós mesmos como forma de criar motivação para a mudança, mas o tiro sai pela culatra.

Um modo mais saudável de se libertar de uma emoção é tentar acolher o desconforto. Outro é extravasar pelo choro. Se for raiva, saia para uma caminhada acelerada. Mas a melhor maneira ainda é o perdão. Perdoar ajuda a entender que todos neste planeta (inclusive nós) são seres humanos fazendo o melhor possível com os recursos que têm.

Que tenhamos a profunda consciência de que somos todos falíveis. Que possamos aprender a nos libertar da culpa que lançamos sobre nós mesmos e da sensação de desmerecimento, para começarmos a perdoar os outros e a nós mesmos.

PRATIQUE!

Reflita se você já consegue se libertar das coisas no dia a dia. Toda noite, ao ir dormir, você está deixando ir; sempre que envia uma mensagem de celular, você deixa ir; depois de um abraço, você deixa ir. No meio de sua prática de meditação, procure perceber quando está se agarrando a alguma coisa. Talvez esteja tendo dificuldade em manter o foco e, nesse momento de consciência, opte por dar nome a essa experiência e aceitar sua presença. Ao fazer isso, você a solta e a deixa ir.

Lembre-se de que a mudança acontece com a prática intencional e a repetição. Como seriam os próximos dias, semanas e meses se você praticasse repetidas vezes, com intenção, a dupla aceitar-libertar? À medida que você aprende a discernir como e quando libertar e deixar ir, sua sabedoria começa a crescer.

30

Enfrente a dor

✤

Eu (Bob) tirei a carteira de motorista aos 16 anos. Foi uma nova fase de autonomia e independência. Queria explorar o mundo que se abria para mim, mas morava na fria cidade de Boston e logo descobri como era difícil dirigir na neve e no gelo. Quando o carro começava a derrapar, eu instintivamente virava o volante na direção contrária, mas isso só piorava a situação.

Um dia, conversando sobre o problema com meu pai, ele disse: "Bob, você tem que girar o volante na direção em que está derrapando." Comecei a fazer isso. E não é que funcionava? Então percebi que podia aplicar o mesmo princípio a outros medos e à dor, ou seja, a qualquer coisa que quisesse evitar. É como diz o famoso ditado: a gente pode até correr, mas não pode se esconder. Percebi que tudo que eu tentava evitar continuava me perseguindo. Quando comecei a enfrentar meus medos, a reconhecê-los, passei a me sentir cada vez mais livre. Entendi que, ao ir na direção daquilo que temia, encontrava o equilíbrio e me sentia livre de verdade.

Nossa tendência natural é tentarmos nos afastar da dor, seja emocional ou física. "Deus me livre!", exclamamos. Claro que é uma reação normal, afinal de contas, quem quer sentir dor? Mas já percebeu que muitas vezes a dor nos segue como uma sombra?

Embora desviar a atenção da dor seja válido às vezes, em boa parte das ocasiões não ajuda em nada. Não seria bom aprender outras saídas? Que tal aplicar à dor (seja física ou emocional) o princípio de girar o volante na direção do problema? Pode parecer um contrassenso, mas o que você tem a perder?

❈

PRATIQUE!

Assuma uma posição em que você se sinta confortável e alerta e faça um check-in do que está sentindo no corpo e na mente. Se perceber sentimentos desagradáveis, dedique um instante ao reconhecimento deles.

Ao se dirigir sem rodeios ao que está presente, por favor use o bom senso para definir a hora de parar. Não há necessidade de ir até o ponto máximo da escala Richter da dor. Avance apenas enquanto for viável e suportável.

Ao penetrar nesse sentimento desagradável, você talvez perceba o impulso de se afastar, desviar ou se dessensibilizar. Dessa vez, porém, se estiver disposto, apenas deixe estar. Reconheça o que está sentindo em termos físicos, mentais e emocionais. Note o que acontece quando você permite e reconhece o que está ali. Aos poucos, volte a fazer algumas respirações conscientes e então abra os olhos, sentindo-se atento e presente.

Aproveite para escrever agora sobre o que aconteceu no seu corpo e na sua mente quando você começou a enfrentar o medo ou a dor.

31

Atenção plena a qualquer hora, em qualquer lugar

❖

Muita gente se movimenta de maneira acelerada durante o dia, alguns não só mental como também fisicamente. Com tanta coisa para fazer e em que prestar atenção, nossos neurônios disparam em alta velocidade. Fazemos tanto esforço para chegar a algum lugar que esquecemos de estar onde estamos. Mesmo ao voltarmos do trabalho para casa, muitas vezes nos pegamos "correndo para poder relaxar". Se pararmos para prestar atenção, nesse momento de consciência nos fazemos presentes e podemos escolher "ser" diferentes.

A ioga consciente e a meditação andando são alguns dos componentes centrais do Programa de Redução do Estresse. O objetivo da prática que estimula o movimento consciente é mostrar que a atenção plena não está restrita à almofada. Se atenção plena é consciência, você pode realizá-la em qualquer lugar, inclusive em movimento.

PRATIQUE!

Esta é uma prática de meditação em movimento em quatro etapas que pode ajudar seu cérebro no treinamento da atenção plena enquanto você simplesmente caminha. Reserve 5, 10 ou 15 minutos do seu dia para essa prática. Assim como nas práticas da respiração e da varredura corporal, se sua mente se desviar e você perceber, parabéns: isso significa que você está presente em um ponto de escolha. Simplesmente escolha redirecionar sua mente de volta para a prática, com suavidade.

1. *Comece com gratidão.* Se você tem a sorte de poder caminhar, lembre-se de que levou mais de um ano para aprender a andar e que suas pernas são as heroínas anônimas que o levam de lá para cá dia após dia. Agradeça às suas pernas por todos os esforços.

2. *Sinta o chão.* Preste atenção no que sente nos pés e nas pernas quando seus calcanhares tocam o chão, depois sinta a planta e os dedos dos pés e, por fim, observe a sensação de tirar o peso dos pés. Diga para si mesmo: *Calcanhar, sola, dedos, levantar.* É uma forma de se conectar com o ato de caminhar no momento presente.

3. *Perceba seus sentidos.* Caminhe um pouco mais devagar e abra sua consciência para todos os sentidos: visão, audição, paladar, tato e olfato. Veja o que está ao seu redor, ouça os sons, saboreie o ar ou qualquer coisa que esteja na sua boca, sinta o calor ou o frio do dia, a brisa no rosto ou o cheiro no

ar. Depois, pare por um instante e veja se é possível absorver e compreender todos os sentidos.

4. *Termine com gratidão.* É essencial encerrar com o reconhecimento de que, apesar do que sua mente dizia que você faria, poderia ou deveria fazer, você optou por se engajar nesta prática em benefício de sua saúde e seu bem-estar. Aproveite para agradecer a si mesmo pela escolha feita.

Você pode realizar essa prática informalmente também no dia a dia, no trajeto a pé até a padaria, nos corredores do seu local de trabalho, ao realizar tarefas ou mesmo no percurso entre o carro e a porta de casa. Tenha em mente que se trata de uma prática. Assim, sempre que perceber que está com pressa de chegar em casa ou em outro lugar para relaxar, repita consigo mesmo: *Pressa, pressa, pressa.* Isso basta para ampliar o espaço entre o estímulo e a resposta – o espaço em que consciência e escolha se encontram.

Nesse espaço, você está presente e pode empreender qualquer uma dessas formas de caminhada consciente.

Mas não tenha apenas a nossa palavra como garantia: experimente!

32

Respiração, corpo, som

❊

Uma maneira maravilhosa de entrar em contato com a atenção plena é por meio do universo dos sons. Os sons são vibrações na atmosfera que o ouvido capta e traduz em um formato que o cérebro consegue processar. Em nossa turma de MBSR, muitas vezes você vai ouvir um sino tocar para indicar o início ou o fim da meditação. Quando o sino é acionado, o metal vibra: o material se expande e se retrai em uma série de movimentos minúsculos e muito rápidos. Ao se expandir, ele empurra as partículas de ar à sua volta, que por sua vez colidem com as partículas ao redor, num processo chamado "compressão". Ao se retrair, o material puxa as partículas de ar à sua volta, provocando uma diminuição da pressão, e, numa espécie de efeito dominó, a pressão cai no entorno das partículas. Essa compressão e a subsequente queda de pressão criam uma onda sonora que paira no ar.

Nossos ouvidos recebem e direcionam as ondas sonoras, sentem a flutuação na pressão e transformam tudo isso em um sinal elétrico que uma parte do cérebro entende como som – em seguida, outra parte do cérebro diz "sino". (Essa é uma descrição muito básica e rudimentar da audição. Os detalhes desse processo ainda são um mistério para a ciência.)

O processo de como ouvimos e como tudo isso ganha sentido no cérebro é, verdadeiramente, um dos grandes milagres da vida. Aproveite para fazer uma pausa e simplesmente escute, não importa o quê – apenas se deslumbre com sua capacidade de ouvir. Quando permitimos que a mente se concentre na audição, começamos a perceber que os sons têm a mesma natureza que as sensações corporais e mentais. Eles aparecem e desaparecem, e, ao desaparecer, não deixam vestígios. Fica o silêncio, até que outro som apareça.

Qualquer som pode ser objeto da nossa atenção. Mesmo os mais irritantes, como uma buzina estridente tocando na rua, o despertador ou pessoas gritando, podem ser percebidos de formas diferentes quando aplicamos a atenção plena. A irritação provocada por esses sons não tem a ver com os sons em si, mas com a nossa interpretação deles como algo "ruim". Quando aplicamos a atenção plena, mudamos nossa relação de repulsa para curiosidade, permitindo que os sons cresçam e diminuam, amenizando assim seu impacto negativo.

❊

PRATIQUE!

A esta altura, você já aplicou a atenção plena na respiração e na varredura corporal. Vale a pena reservar algum tempo para se sentar ou se deitar e ouvir os sons da casa, da rua ou do ambiente contemplativo da natureza. No MBSR, apresentamos uma prática que une ao som as duas meditações anteriores (respiração e varredura corporal) que você realizou. É a apropriadamente chamada "respiração, corpo, som". O bacana dessa prática é que ela se baseia em outras que você já está aprendendo. No começo, o foco é na respiração, depois se expande e abrange o universo da audição. Para saber quando mudar o foco da sua atenção, você pode definir alarmes intervalados num aplicativo como o Insight Timer ou acompanhar o áudio da prática (em inglês) no site www.newharbinger.com/31731.

1. Comece se conscientizando da respiração. Duração: 1 a 5 minutos.
2. Inclua as sensações no corpo. Duração: 1 a 5 minutos.
3. Inclua a audição, abrindo-se para os sons que vêm e vão.

Como é natural em qualquer dessas práticas, a mente pode vaguear por pensamentos. Quando isso acontecer, simplesmente identifique e, com suavidade, volte ao ponto de atenção pretendido.

33

Não se estresse com seus pensamentos

❈

Se você começou a realizar a prática da respiração ou da varredura corporal, provavelmente já percebeu como sua mente é ocupada. Na Parte 1, nós o orientamos a prestar atenção nos seus pensamentos para ajudar a entender a natureza deles. Mas, quando alguém começa a praticar a meditação, é comum haver um embate entre o foco no ponto de atenção pretendido e a incessante agitação da mente. É como se a mente tivesse vida própria e não parasse de pensar, de se preocupar, de resgatar lembranças ou sonhar. A meditação pode parecer frustrante, mas em geral isso acontece por confundirmos atenção plena com concentração. A intenção da atenção plena não é se concentrar exclusivamente na respiração, no corpo ou nos sons, e sim praticar estar alerta. Sempre que você percebe que sua mente se desviou, está praticando a atenção plena.

Portanto, não há necessidade de se estressar com a mente distraída – faz parte do processo. Na verdade, a mente que divaga continua a nos dar informações sobre o que está acontecendo naquele misterioso agrupamento de 1,36 quilo de células nervosas eletroquímicas que chamamos de cérebro. Talvez você perceba que a mente imagina um cenário futuro ou revive acontecimentos. Ou que certas coisas fazem o cérebro cair em armadilhas mentais como o catastrofismo, a dúvida ou a culpa. Se algo aparece incessantemente em sua mente, dedique mais tempo a isso.

Quando nos aprofundamos na natureza dos pensamentos, às vezes os vivenciamos como em um filme: uma sequência de quadros estáticos que se sucedem rapidamente para criar a ilusão de imagens em movimento. Nossos olhos retêm cada quadro do filme por uma fração de segundo, e o quadro seguinte surge tão rápido que não capturamos o espaço entre uma imagem e outra. Quando você faz uma pausa e presta atenção nos eventos mentais da sua consciência, acaba reparando que uma série de imagens e vozes vêm e vão constantemente, mas elas não são contínuas. Algumas parecem positivas; outras, negativas; e outras, apenas neutras.

À medida que relaxamos, reduzimos a ansiedade em relação aos nossos pensamentos e prestamos mais atenção neles, diminuímos seu poder e desenvolvemos uma mente flexível.

✤

PRATIQUE!

Reserve um tempo para se familiarizar com a natureza dos seus pensamentos. Uma maneira de perceber os eventos mentais se formando e se dispersando na sua mente é fechar os olhos e imaginar um prédio ou monumento famoso. Imagine-o na sua mente e tente mantê-lo. Observe se ele continua igual ou se começa a mudar um pouco. Você vai perceber que nossos pensamentos são como o clima, sempre mudando. Você não conseguiria manter os pensamentos mesmo se tentasse.

34

Liberte-se de seu crítico interior

✣

Em algum ponto do caminho de qualquer prática meditativa de atenção plena fica evidente que a necessidade de julgar e criticar é inerente à condição humana. Alguns são naturalmente mais talentosos que outros, mas a triste realidade é que a maioria faz mais críticas a si mesmo. Basta ouvir as vozes durante a prática: *Não estou fazendo isso direito. Todo mundo em volta está conseguindo, menos eu* ou *Sou péssimo em meditação*. O cérebro faz isso num esforço doentio de nos ajudar a entender as coisas ou de nos preparar para alguma tragédia, mas o resultado raramente é positivo – se é que algum dia já foi. Geralmente acontece o contrário, como uma toxina liberada aos poucos em nossa mente e nosso corpo.

É válido procurar entender como a autocrítica nos afeta. Pense em uma experiência recente desse tipo e tente se lembrar da ocasião: quem estava lá, o que estava acontecendo e qual foi o gatilho (o que desencadeou a crítica). Veja se consegue identificar a emoção subjacente à crítica. O sentimento é de vergonha, tristeza, irritação ou cansaço? Normalmente, a vontade de criticar a si mesmo nasce de algo desconfortável que sentimos no momento.

É como se a mente usasse a crítica estrategicamente, para afastar o incômodo.

Até mesmo aplicar a atenção plena à lembrança pode ajudá-lo a se tornar mais consciente do ciclo de reatividade que o julgamento provoca. À medida que essa conscientização se torna mais frequente, conseguimos dissipar o poder que a reatividade exerce sobre nós e nos abrimos para um ponto de vista mais sábio.

❊

PRATIQUE!

Quando estiver meditando, fique atento a críticas (seja a si mesmo ou a outros). Tente enxergar claramente a crítica e entender o sentimento que a acompanha. Depois, é só trazer sua atenção de volta suavemente para a prática. Observe se a crítica e o sentimento vão embora – uma lição sobre a impermanência dos pensamentos e emoções.

Quando não estiver meditando, experimente passar algum período do dia notando as críticas que surgem e como elas o afetam em termos físicos, mentais e emocionais. Elas o fazem mais feliz ou não? Ao ver a crítica com distanciamento, você se identificará menos com ela da próxima vez que surgir.

Agora, a cereja do bolo: para uma mente comparativa, usar a atenção plena é uma grande oportunidade de praticar um antídoto maravilhoso chamado "bondade amorosa" (veja o Capítulo 42). A bondade amorosa é uma prática que aquece o coração ao enviar intenções amorosas para nós mesmos e para os outros. Ela pode ter um impacto direto na transformação dos estados mentais negativos, como nosso crítico interior.

Não importa se você está disposto a criticar a si mesmo ou outras pessoas: tente se conectar ao seu coração e intencionalmente desejar o bem. Essa prática informal de bondade amorosa pode ser uma maneira de começar a cultivar uma mente mais benevolente e de curar a irritação subjacente.

Como todas as coisas na vida, experimente deixar as críticas sobre essa prática irem e virem, e permita que sua experiência direta seja sua guia.

35

Controle a mente comparativa

❊

Todos nós pertencemos à raça humana e todos os seres pertencem a este universo. Não existe ninguém que não pertença a este planeta. O sentimento de pertencimento é uma necessidade básica que nos traz a sensação de segurança e proteção. Não precisamos aprender como fazer parte, nascemos sabendo, mas nosso cérebro tem a tendência natural de nos comparar com outras pessoas para verificar se estamos à altura ou se fazemos parte. É o que chamamos de "mente comparativa" (uma prima próxima do crítico interior). Ela se manifesta em todas as áreas da vida e muito claramente em nossa prática meditativa. Se não for controlada, a mente comparativa promove o descrédito e a dúvida, nos impedindo de seguir nosso caminho. É uma armadilha e tanto.

Mesmo enquanto lê este livro ou realiza essas práticas, você pode se pegar dizendo *Não sou bom o suficiente*, *Não sei meditar como Fulano* ou *Sou uma fraude*. Grupos de mindfulness são um terreno fértil para esse estado de espírito, porque há sempre um check-in interior para verificar como a prática está indo. Uma pessoa pode dizer que praticou todos os dias, enquanto outra não fez nenhuma meditação a semana toda. Isso basta para ativar a mente comparativa. *Olha lá a Suzane... Ela diz que medita todo dia. Eu nunca vou conseguir fazer isso.*

A maioria das pessoas tem que se esforçar para redescobrir o significado da meditação. Para algumas, trata-se da prática de aplicar a atenção plena às refeições; para outras, trata-se da natureza elementar de um passeio consciente no parque; e há ainda quem encontre refúgio na prática da varredura corporal ou da bondade amorosa.

Quando você notar a mente comparativa surgindo, lembre-se das palavras do maravilhoso poeta John O'Donohue:

> Ninguém mais tem acesso ao mundo que você carrega dentro de si; você é o guardião e a entrada desse mundo. Ninguém mais vê o mundo do jeito que você o vê. Ninguém mais sente sua vida da maneira como você sente. Assim, é impossível comparar duas pessoas porque cada uma ocupa um espaço muito diferente. Quando você se compara com outros, está convidando a inveja à sua consciência, e ela é uma convidada perigosa e destrutiva.

❧

PRATIQUE!

Veja se consegue perceber quando a mente comparativa surge durante a prática da meditação e no dia a dia. Você vai ouvi-la dizer coisas do tipo: *Sou uma droga. Sou muito pior que os outros nesse negócio de meditar. Não sei praticar meditação de verdade porque não sou calmo nem focado.* O primeiro passo é simplesmente identificar os pensamentos. Com o tempo, isso se torna parte da prática, algo que surge dentro da nossa consciência e nos permite reconhecer que são apenas pensamentos que moram dentro da consciência mais ampla de quem somos. O segundo passo é se perguntar: *O que estaria aqui se não houvesse esse pensamento?* Será que haveria mais espaço, mais confiança e mais tranquilidade na sua prática?

Experimente e veja o que acontece.

36

Permita o que houver

❧

A prática da meditação culmina na capacidade de se libertar das complicações de todas as nossas histórias, sensações e sons e de experimentar uma paz e uma liberdade mais profundas. No MBSR, a prática final é a "consciência sem escolha". Trata-se de uma prática de consciência aberta que integra todas as anteriores e nos ajuda a aprender a permanecer disponíveis e presentes às condições mutáveis da mente. Assim desenvolvemos a capacidade de aceitação, o equilíbrio e a sabedoria para enxergar com clareza.

Embora possamos acessar a consciência sem escolha a qualquer momento, começamos com as práticas focadas em objetos específicos para introduzir todos os elementos da experiência e fortalecer nossa capacidade de atenção. Em seguida, podemos começar a nos fixar mais profundamente na consciência natural da vida como ela é. Momento a momento, abrimos mão da necessidade de focar a atenção em algo e permanecemos no presente atemporal. Não há nenhum lugar para ir, nada para ver, ninguém para ser – apenas o aqui e agora, sempre.

Buda certa vez sugeriu: "Desenvolva uma mente que seja vasta como o espaço, onde experiências agradáveis e desagradáveis possam aparecer e desaparecer sem conflitos, lutas ou danos. Permaneça na mente como num vasto céu." É aqui que começamos a sentir a liberdade sem limites que estava lá o tempo todo.

Isso não significa que as outras meditações sejam inferiores, apenas que experimentamos outra forma de meditação de atenção plena. O que realmente importa é o que você aprendeu sobre si mesmo com essa prática, como nas anteriores. Cada uma delas pode promover a compreensão e a liberdade. Ninguém sabe o que é melhor para você – se alguém disser que sabe, fuja dessa pessoa.

Quanto mais você praticar, mais vai aprender a permanecer na natureza incompreensível da vida e se abrir para uma liberdade que sempre esteve à sua espera.

❧

PRATIQUE!

Você pode acessar a consciência sem escolha em qualquer lugar e a qualquer hora. Faça algumas respirações profundas e permita que este seja um momento de mudança do universo do fazer para um espaço de ser. Comece percebendo os sons na sala e continue com a consciência receptiva a sensações, emoções e pensamentos. Inspire e se abra para tudo que está aí. Expire e permita que tudo seja como é. Você sentirá como a jornada da experiência se ergue e passa, como as ondas no mar. Note toda vez que a mente se apegar a um som, um pensamento ou uma sensação e repita para si mesmo: *É assim*. E, quando ela se apegar a outra coisa, diga: *É assim também*. Caso se perca, volte à respiração e, a partir daí, abra sua consciência novamente.

Inspire, expire. Você está em casa.

PARTE 5

Seja

37

Consciência viva (amorosa)

✺

Com a prática prolongada da atenção plena, chega um momento em que começamos a perceber que a vida tem um ritmo natural incontrolável. Quanto mais tentamos combater as tormentas mentais ou emocionais, mais elas nos esmagam. Ao mesmo tempo, quanto mais nos abrimos para o que a vida nos oferece, mais encantadora se torna a dança que é a vida em si. Entendemos perfeitamente o ditado "Tudo a que se resiste persiste" e sabemos que tudo que acontece "é assim mesmo". Até mesmo quando se instala a resistência ao momento, "também é assim mesmo". Não há necessidade de se agarrar a alguma coisa ou de afastar alguma coisa. Por baixo de toda a reatividade e todo o autoengano existe uma profunda e aberta consciência amorosa de tudo que há. Quando paramos de resistir à vida, conseguimos ouvir os sussurros por baixo do ruído e as dádivas começam a se revelar.

Quando admitimos a vida como ela é e abrimos mão da resistência, surge a sensação de segurança e de proteção. Quando surgem pensamentos ou sentimentos dolorosos dentro de um espaço de pura consciência, a compaixão acontece naturalmente. Quando surgem pensamentos ou sentimentos alegres, eles são acompanhados de ainda mais alegria por *haver* alegria. Quando os desafios da vida arranham seu ser, a prática da atenção plena alimenta uma fonte de proteção e força. Quando você percebe que dentro de você há a mesma consciência que há dentro do seu vizinho, daquela celebridade que você adora, das pessoas em guerra no mundo e até do criminoso mais odiado, acontece a experiência esclarecedora e curativa de conexão.

A esta altura, você pode ter tido algumas experiências assim. Continue a explorar a atenção plena e observe a si mesmo descobrindo a consciência amorosa que sempre esteve lá, apenas esperando que você a descobrisse.

PRATIQUE!

Muitos dedicaram a vida a despertar essa consciência natural. São homens e mulheres que atravessaram todo o ruído para entrar no meio do fogo e ajudar a aliviar o sofrimento do mundo e o próprio. Uma participante de um curso de MBSR se referiu a si mesma como uma "guerreira consciente" – não no sentido agressivo, mas no sentido de que sentiu grande força e coragem com essa consciência amorosa. Existem diversos exemplos (como Madre Teresa e Martin Luther King) de pessoas que dedicaram a vida a ajudar os outros a despertar para a verdade fundamental de que estamos todos juntos nisso.

O mestre espiritual Ram Dass tem uma prática maravilhosa que atinge a essência da vivência dessa consciência amorosa na vida diária. Ele sugere tocar o coração e dizer: *Sou a consciência amorosa, sou a consciência amorosa, sou a consciência amorosa.*

Respire fundo algumas vezes e tente agora mesmo. Consegue sentir a natureza essencial de quem você é? Como seriam os próximos dias, semanas e meses se você conseguisse responder à vida com essa intenção? Permita que a coragem contínua de ir ao encontro da vida com consciência amorosa o guie no processo de despertar mais e mais a cada dia.

38

Mergulhe por baixo da sua identidade

✤

Uma pergunta poderosa e potencialmente libertadora para fazer a si mesmo é: *Quem sou eu sem minha história?*

Muitas vezes nos definimos pelo que nos foi dito: você é bonito ou feio, inteligente ou burro; você vai ser bem-sucedido ou nunca vai ser ninguém; você herdou a ansiedade da sua tia ou a inteligência da sua mãe. As histórias que ouvimos foram criadas durantes nossos anos de formação e se tornam nossas narrativas, definem quem achamos que somos. Sua história pode estar inflada, com pensamentos de que você é o melhor, ou pode estar diminuída, com pensamentos de que você é o pior – ou talvez de que é apenas "mediano".

A tarefa que você tem diante de si é se manter atento às suas histórias – as narrativas com as quais você se definiu e a pessoa que você pensa que é – e aberto a novas possibilidades. Isso pode lhe trazer mais liberdade do que você jamais imaginou quando enxergava as coisas da perspectiva dessa definição limitada que tinha. Além do mais, às vezes essas histórias (essas definições limitadas sobre quem você é) são profecias autorrealizáveis, ou seja, elas podem fazer com que algo aconteça só por afirmarem que é real.

Joe era um estudante de MBSR que cresceu acreditando que era adequado, que quase tudo que fazia era apenas satisfatório e que o máximo que podia esperar na vida era ser medíocre. Disseram que ele tinha uma "aparência comum" e uma inteligência média. Com o tempo, Joe se desesperou com seu destino. No curso, ele conheceu a prática da varredura corporal e passou a olhar para sua vida com mais atenção. Joe começou a identificar a infinidade de dores físicas e emocionais que se acumulavam em seu corpo e em sua mente. Havia tensão, estresse e desconforto no seu estômago, no peito e no maxilar.

Ao aprender a meditação sentada, que passou a praticar todos os dias, Joe teve uma percepção importante sobre si mesmo e sobre como era limitada a visão que ele tinha do mundo. Quando tomou consciência de suas histórias, percebeu que seus pensamentos não o representavam. Seus pensamentos e emoções estavam em constante mudança, mas não eram "ele". Isso abriu as portas para o coração de Joe – mostrando que ele era especial e único e que a visão limitada que tinha de si mesmo não era verdadeira. Essa compreensão trouxe possibilidades ilimitadas a Joe, que se sentiu liberto da escravidão de sua história.

Embora não possamos ignorar essas autodefinições limitantes, com consciência podemos começar a vê-las de forma mais clara, não nos identificarmos com elas e entender que existem muitos novos potenciais. Em vez de se apegar à autorreferência, você pode se abrir para uma autoconsciência em que tudo é possível.

Pode ser assustador se perguntar *Quem sou eu sem a minha história?*, mas essa também pode ser a pergunta mais libertadora.

PRATIQUE!

Defina a intenção de se tornar mais atento aos seus padrões de pensamento. Eles são autodestrutivos ou solidários? São estimulantes ou negativos?

    Tente incorporar isso ao seu cotidiano e realizar a prática de parar por um momento, respirar, observar o que está acontecendo em seu corpo e em sua mente e então prosseguir com mais presença. Essa prática é parecida com a do check-in interno. Você pode realizar qualquer uma dessas práticas 100 vezes por dia para saber se está se autolimitando. Se estiver, traga sua mente de volta ao momento presente e entenda 100 vezes por dia que se perdeu mais uma vez em sua velha história. Quando perceber que não está presente é porque está presente – nesse momento, você pode escolher a liberdade. Realize essa prática todos os dias!

39

Encontre seu equilíbrio natural

✺

A história de Nancy é muito comum. Na primeira aula de MBSR a que compareceu, ela contou que tinha passado os últimos seis meses no exterior, cuidando de um tio doente, e que voltara para descansar por alguns meses. "Eu me sinto perdida. Passei tanto tempo atenta apenas às necessidades dele que é como se tivesse perdido minha individualidade. Isso me deixa irritada e espero que este curso me ajude a recuperar o que perdi, mas tenho minhas dúvidas."

Cuidar dos outros é um ato de compaixão e nos dá um propósito, mas em excesso pode ter o efeito oposto. É a chamada fadiga por compaixão. Muitos estudos mostram, atualmente, que pessoas que cuidam de idosos ou de pacientes que sofreram abuso ou traumas podem se tornar insensíveis e menos compassivas para com eles. É como se perdessem o equilíbrio, a equanimidade.

No Programa de Redução do Estresse, aprendemos a praticar a moderação, que traz estabilidade, amplitude e equilíbrio para nosso coração e nossa mente. É a parceria perfeita para a compaixão, nos permite conhecer a dor do outro ou a nossa própria dor sem que ela nos oprima ou nos deixe perdidos. Na prática do MBSR, introduzimos a meditação da montanha para aumentar o equilíbrio e a estabilidade mental, e também para conhecer melhor a impermanência natural da vida. Nessa prática, você é orientado a se imaginar como uma montanha e a se manter presente enquanto as estações do ano mudam. Não importa qual seja o clima, a montanha permanece a mesma: firme e estável.

Depois de praticar isso por um minuto, Nancy abriu os olhos e disse que se sentia mais calma, relaxada e preparada para aceitar sua vulnerabilidade. Ela percebeu que, sob as ondas de frustração, estresse e vulnerabilidade, havia uma base que podia acessar. Pouco depois de voltar a cuidar do tio, ela nos enviou um e-mail dizendo que estava conseguindo perceber melhor quando o clima na montanha se tornava adverso e que vinha se cuidando mais. Às vezes, usava a meditação da montanha para estar presente, mas havia ocasiões em que o alto nível de estresse mostrava a necessidade de autocompaixão para alcançar o equilíbrio. Por fim, ela aceitou contratar uma enfermeira em meio período para ter algumas horas de descanso.

❊

PRATIQUE!

Estas são algumas variações da meditação da montanha para você realizar e proporcionar a si mesmo a experiência de se harmonizar com a natureza inconstante da vida:

1. Sente-se em uma posição confortável, feche os olhos e faça algumas respirações profundas. Permita que essas respirações funcionem como um aterramento para seu corpo.

2. Imagine-se como uma montanha, depois imagine a floresta que cobre a montanha com toda a sua vegetação. Quanto mais você se sentir uma montanha, melhor.

3. Experimente as diferentes estações do ano – outono, inverno, primavera e verão – e observe como elas afetam a montanha. O outono talvez tenha belas cores; o inverno, neve ou tempestades de granizo; a primavera, nova folhagem e flores; e o verão traz calor e talvez incêndios florestais.

4. Pergunte-se: *O que mudou na montanha?* A montanha permanece a mesma: firme e estável.

Em meio a emoções arrebatadoras, seja a montanha. "Inspiro, me imagino como uma montanha; expiro, estou firme." Sinta o equilíbrio que há aí.

40

Uma ilusão de ótica da consciência

❧

Albert Einstein é mais conhecido como um cientista genial, mas, além de ter um intelecto brilhante, ele era um homem sábio, encantado com os mistérios do mundo e do universo. Em um trecho de uma carta publicada no *New York Post* (1972), Einstein escreveu:

> O ser humano é parte de um todo chamado por nós de Universo, uma parte limitada no tempo e no espaço. Ele vivencia a si mesmo, seus pensamentos e sentimentos como algo separado do resto – uma espécie de ilusão de ótica da consciência. Essa ilusão é uma forma de prisão para nós, restringindo-nos a nossos desejos pessoais e à afeição a umas poucas pessoas próximas. Nossa tarefa deve ser nos libertar dessa prisão, aumentando nossos círculos de compaixão para englobar todas as criaturas vivas e a natureza em sua beleza.

De maneira eloquente, Einstein destaca a unidade de todas as coisas. A matéria é composta dos elementos fundamentais dos átomos que são encontrados em todos os fenômenos materiais, de modo que a ideia de que tudo é separado é, segundo Einstein, "uma ilusão de ótica da consciência".

Em seguida, ele chama essa ilusão de prisão, pois limita nossa vida à egoísta busca de prazeres e do afeto de algumas poucas pessoas ao nosso redor. Esse modo de vida nos separa ainda mais e torna nosso mundo ainda menor, além de limitar a definição de quem somos (como indicamos no Capítulo 38).

À medida que expandimos a consciência, começamos a entrar em contato com o mundo e o universo que todos dividimos. Naturalmente, nossa compaixão pelos outros e por nós mesmos começa a se expandir. Entendemos que somos parte de um todo e que ninguém fica de fora – humanos e não humanos –, que todos compartilhamos as vicissitudes da existência, vivendo com 10 mil alegrias e 10 mil tristezas.

※

PRATIQUE!

Você pode fazer este exercício nos próximos dias ou, se quiser, pelo resto da vida. Praticá-lo ajuda a quebrar a ilusão que o separa dos outros. Abra seu coração para a compaixão por todos os seres.

1. Pela manhã, ao se levantar, sinta seu corpo... Depois, ouça os sons das aves, de outras pessoas ou outras criaturas saudando o dia. Saiba que cada um tem sua vida e quer ser feliz e se sentir seguro, exatamente como você.

2. Durante o trajeto até o trabalho, amplie sua consciência para todas as pessoas que estão nas ruas e nos trens ou ônibus

tentando ganhar a vida para se sustentar e sustentar suas famílias. Inclua os animais, que estão procurando alimentos e fazendo o que precisam para viver, exatamente como você.

3. Na hora do almoço, sinta gratidão por ter o que comer, afinal, toda vida senciente precisa de alimento, exatamente como você.

4. Durante o dia de trabalho ou estudo, olhe em volta, onde quer que esteja, e perceba que estamos todos juntos nessa. Toda pessoa tem sentimentos e desejos. Pare por alguns minutos e abra seu coração à compaixão por todos ao seu redor.

5. Faça uma pausa de alguns minutos durante o dia ou a noite e sinta-se fazendo parte do mundo dentro de você e ao seu redor. Sinta como é valioso estar vivo e estenda sua compaixão e seu amor-próprio às pessoas queridas, àquelas que você não conhece e a todas as criaturas, grandes e pequenas.

41

Considere todos os seres

❊

Faz algum tempo que os cientistas concordam que os animais, inclusive os insetos, têm certo nível de consciência. Hoje em dia, os neurobiólogos estão descobrindo que as plantas têm redes neurais básicas e capacidade de percepção. A planta carnívora drósera pega moscas com uma precisão incrível. Algumas plantas se fecham quando as formigas vêm tomar seu néctar, outras soltam um odor ao serem atacadas para avisar as plantas ao redor do perigo (Lanza e Berman, 2009). Será que temos uma compreensão primitiva do que é realmente um ser senciente?

Embora, é claro, os animais e as plantas não tenham a mesma capacidade de pensamento crítico que os seres humanos, pense por um instante que eles têm a mesma consciência básica. A ideia de expansão da consciência e das intenções positivas para todos os seres sencientes surge quando realizamos a prática completa da bondade amorosa. A prática termina com a expansão da consciência para todos os seres vivos e com o envio de intenções para que fiquem bem e sejam saudáveis, felizes e tranquilos. Pode parecer estranho, afinal, por que desejaríamos isso para uma barata na cozinha? É que quanto mais os cientistas descrevem em detalhes os elementos da vida, mais confirmam como somos conectados, e quanto mais bondosos somos, mesmo com as baratas, mais energia positiva geramos no mundo. Isso dignifica não só as baratas, mas também você e o restante das pessoas.

A essa altura, você pode estar achando que enlouquecemos. Se perceber essas críticas, deixe-as de lado por um momento e permita que sua experiência dê as respostas. Em vez de matar um inseto (seja barata, aranha, formiga, etc.), veja o que acontece quando você reconhece que ele só quer se sentir seguro. Capture-o com delicadeza e solte-o na natureza.

Percebe alguma coisa surgindo dentro de você?

Percebe uma experiência de atenção plena, compaixão ou, talvez, conexão? Lembre-se: o que praticamos e repetimos de forma intencional começa, depois de um tempo, a acontecer automaticamente, então, mesmo que você não abrace a ideia de tratar uma barata com gentileza, essa é a maneira correta de ajudar o mundo. Use-a como uma oportunidade de cultivar as capacidades curativas dentro de si.

※

PRATIQUE!

Faça esta experiência por um dia ou uma semana. Comporte-se como se todos os seres fossem importantes. Se você tem um animal de estimação, olhe nos olhos dele e veja a consciência por trás desses olhos. É a mesma consciência fundamental que está por trás de seus olhos. Ao olhar para uma árvore, veja se consegue sentir a consciência que está ali – ela se desenvolve num ritmo muito diferente do nosso. Quando você encontra um inseto em sua casa, é natural que queira se livrar dele, principalmente se for uma barata. Tente, em vez disso, pensar nesse inseto como um ser consciente e ajude-o gentilmente a encontrar um espaço mais seguro.

Quando for se deitar, pense por um momento em todos os seres do universo e diga: *Que todos nos sintamos seguros, que todos sejamos saudáveis, que todos possamos viver em paz.*

Prepare-se então para uma boa noite de sono.

42

Bondade amorosa

❊

Walt Whitman disse: "Sou maior e melhor do que pensava. Não sabia que havia tanto bem em mim."

A bondade amorosa tem sido chamada de antídoto para o medo. Ela cultiva a aceitação amorosa e, de todas as práticas que você aprendeu até agora, é a que pode ter o impacto mais rápido na mudança de padrões negativos da mente.

Apesar de a essência da bondade amorosa poder ser construída de modo informal pelo MBSR (como neste livro), em um programa de oito semanas de MBSR a prática da meditação da bondade amorosa é apresentada tradicionalmente num retiro de um dia.

A vantagem dessa prática é que pode ser feita em qualquer lugar – em casa, no trabalho, na viagem de férias. À medida que você aprofunda a prática da bondade amorosa na sua vida, aumenta a sensação de conexão não apenas com seu coração, mas também com a própria vida.

❈

PRATIQUE!

Na prática formal da bondade amorosa, costuma-se usar sistematicamente uma série de intenções amigáveis consigo mesmo e com os outros que muitas vezes se revelam na forma de frases genéricas como *Que eu (ou você) seja feliz, saudável, forte e livre*. Embora em outras práticas do Programa o foco esteja na respiração, no corpo ou nos sons – ou mesmo em manter tudo em consciência aberta –, na bondade amorosa o foco está nas intenções gentis. Para começar a prática da bondade amorosa descrita a seguir, envie para si mesmo essas intenções amorosas. Se for muito difícil, você pode começar com o segundo ou o terceiro passo, enviando essas intenções para um professor, um amigo querido ou um familiar; assim aquece o coração e só então volta a prestar atenção em si. De qualquer maneira, você vai incluir todos os seres nessas intenções (veja mais sobre isso no Capítulo 43).

1. *Comece com você mesmo.* Sentado ou deitado, observe seu coração. Agora, internalize estas intenções amorosas: *Que eu seja feliz; que eu tenha corpo e mente saudáveis; que eu me sinta seguro e protegido de perigos internos e externos; que eu fique livre do medo que me paralisa.*

É comum que as pessoas tenham dificuldade em ser gentis consigo mesmas. Se achar complicado fazer isso, dê uma parada, reconheça a dificuldade e coloque as mãos no coração, num gesto de carinho, de gentileza. Ao fazer isso, sua mente provavelmente vai vaguear por pensamentos, lembranças ou alguma distração externa. Não tem problema. Apenas note:

esse é um momento de atenção plena, um ponto de escolha – do qual você pode escolher retornar.

2. *Pessoas que você considera mestras ou benfeitoras.* Pense numa pessoa viva que seja uma fonte de inspiração positiva e de mudança na sua vida. Alguém por quem você sente respeito e que desperta sentimentos de cuidado. Pode ser um pai, avô ou professor, talvez até alguém que você nunca tenha conhecido pessoalmente, mas que causou um impacto positivo em você. Agora imagine essa pessoa aí, conecte-se ao seu coração e diga a ela: *Que você seja feliz; que tenha corpo e mente saudáveis; que se sinta seguro e protegido de perigos internos e externos; que esteja livre do medo.* Ou diga apenas *Que você seja feliz, saudável, seguro e livre do medo.*

3. *Um amigo querido ou familiar.* Agora, imagine uma pessoa ou um animal que esteja vivo e com quem você se preocupa. Pense no que você ama nele: o sorriso, a gentileza, o suporte e a generosidade que ele oferece? Depois, imagine essa pessoa ou animal na sua frente, olhando nos seus olhos, e diga: *Que você seja feliz; que tenha corpo e mente saudáveis; que se sinta seguro e protegido de perigos internos e externos; que esteja livre do medo.* Ou diga apenas *Que você seja feliz, saudável, seguro e livre do medo.*

4. *Uma pessoa neutra.* Pode ser o atendente da padaria ou um vizinho. Embora você não saiba muito sobre essa pessoa, sabe que ela quer ser feliz, saudável, segura e livre do medo. Não se preocupe se as frases não se encaixarem a essa altura; use-as como um veículo para aquecer seu coração.

5. *Uma pessoa difícil.* Pense numa pessoa com quem você tenha dificuldade de lidar. Não alguém que tenha lhe causado uma experiência traumática de verdade, mas que desperte em você sentimentos de irritação e incômodo. Imagine essa pessoa e sinta a presença dela. Envie as mesmas vibrações que você enviou àquelas de quem gosta: *Que você seja feliz, saudável, seguro e livre do medo.* Se tiver muita dificuldade em fazer isso, sempre é possível voltar a enviar a bondade amorosa ou simplesmente colocar as mãos no coração em reconhecimento à dificuldade do momento, sabendo que momentos difíceis fazem parte da vida – um gesto de afeto consigo mesmo.

6. *Todas as pessoas e todos os seres em toda parte.* Expanda isso para todas as pessoas e todos os animais e, se achar que deve, para todos os seres em todos os lugares: *Que todos sejamos felizes, saudáveis, seguros e livres do medo.*

7. *Conclusão.* Ao terminar, reconheça o próprio esforço de fazer esta prática em nome de sua saúde e seu bem-estar. É um ato de autocuidado.

43

Abrindo-se para a interconexão

✤

De acordo com a teoria do Big Bang, somos feitos de poeira estelar e estamos conectados de maneira direta e inter-relacionada. Por falar em interconexão, reflita sobre o seguinte: seu corpo é ligado ao planeta em que você vive, que é conectado ao Sistema Solar e ao universo. Nada disso existe no vazio; um depende do outro.

Nada vive no vácuo. O mundo e todas as suas criaturas e plantas, grandes e pequenas, se apoiam mutuamente para viver. Todos contribuem para os ciclos da vida. À medida que a Terra gira em torno do Sol, as estações mudam e mudam, uma como apoio à outra. Um tempo de florescer e crescer na primavera e no verão, um tempo de dormência e um tempo de revitalização no outono e no inverno. Como um amplo terrário, nada é desperdiçado, tudo está ligado, alimentando e renovando a vida. Mesmo os incêndios florestais fertilizam o solo e abrem caminho para um novo crescimento. Não admitir a interconexão das coisas é viver isolado, amedrontado, solitário e separado. Que todos nós possamos crescer em sabedoria e sentir a interconexão com tudo que existe.

PRATIQUE!

Vamos terminar com a meditação da interconexão. Escolha uma posição, sentado ou deitado, em que se sinta alerta e confortável, num local onde saiba que não será perturbado por um período de 10 a 15 minutos.

Traga consciência para a superfície em que você estiver sentado ou deitado e sinta o contato físico. Em seguida, amplie sua consciência para sentir sua conexão com o chão. Estenda ainda mais sua consciência do chão para a terra abaixo e sinta essa outra conexão. Fique assim por alguns minutos, sentindo-se conectado com a terra.

Agora, mude o foco suavemente e se conscientize dos outros sentidos, prestando atenção em quaisquer sons, cheiros, imagens e sabores que possam estar presentes, e sinta essas conexões. Sinta sua vitalidade, sua presença e a consciência dos seus sentidos na sua vida.

Depois, mude o foco suavemente e fique atento à inspiração e à expiração. Esteja presente. À medida que inspira, aprecie esse presente do mundo vegetal que exala oxigênio para você respirar. Agora sinta a dádiva da reciprocidade com sua expiração de gás carbônico, que é um presente para as plantas poderem respirar. Sinta essa troca entre o oxigênio e o gás carbônico, um como apoio para o outro se desenvolver.

Conscientize-se do próprio coração, entenda que você é um ser precioso, que cada um de nós tem um lugar no mundo. Ninguém foi abandonado. Sinta essa conexão com o próprio coração com grande ternura e então, gradualmente, amplie isso para a família, os amigos, a comunidade e todos os seres vivos.

Ao chegar ao final desta meditação e deste livro, que você conheça em seu coração a sensação de estar conectado. Que sinta seu lugar neste mundo e sua interconexão com a vida como um todo. Que todos os seres encontrem o caminho para o próprio coração e conheçam a paz.

Referências

Baxter Jr., L. R.; Schwartz, J. M.; Bergman, K. S.; Szuba, M. P.; Guze, B. H.; Mazziotta, J. C.; Alazraki, A.; Selin, C. E.; Ferng, H. K.; Munford, P.; e Phelps, M. E. "Caudate Glucose Metabolic Rate Changes with Both Drug and Behavior Therapy for Obsessive-Compulsive Disorder". *Archives of General Psychiatry* 49 (9): 681-9, 1992.

Brown, Brené. *A coragem de ser imperfeito: Como aceitar a própria vulnerabilidade, vencer a vergonha e ousar ser quem você é.* Rio de Janeiro: Sextante, 2013.

Carlson, L. E.; Speca, M.; Faris, P.; e Patel, K. D. "One Year Pre-Post Intervention Follow-Up of Psychological, Immune, Endocrine and Blood Pressure Outcomes of Mindfulness-Based Stress Reduction (MBSR) in Breast and Prostate Cancer Patients". *Brain, Behavior, and Immunity* 21 (8): 1.038-49, 2007.

Carmody, J. e Baer, R. A. "Relationships Between Mindfulness Practice and Levels of Mindfulness, Medical and Psychological Symptoms and Well-Being in a Mindfulness-Based Stress Reduction Program". *Journal of Behavioral Medicine* 31 (1): 23-33, 2008.

Christakis, N. A. e Fowler, J. H. "The Spread of Obesity in a Large Social Network over 32 Years". *New England Journal of Medicine* 357 (4): 370-9, 2007.

Creswell, J. D.; Way, B. M.; Eisenberger, N. I.; e Lieberman, M. D. "Neural Correlates of Dispositional Mindfulness During Affect Labeling". *Psychosomatic Medicine* 69 (6): 560-5, 2007.

Davidson, R. J.; Kabat-Zinn, J.; Schumacher, J.; Rosenkranz, M.; Muller, D.; Santorelli, S. F.; Urbanowski, F.; Harrington, A.; Bonus, K.; e Sheridan, J. F. "Alterations in Brain and Immune Function Produced by Mindfulness Meditation". *Psychosomatic Medicine* 65 (4): 564-70, 2003.

Dweck, C. S. *Self-Theories: Their Role in Motivation, Personality, and Development.* Filadélfia: Psychology Press, 2000.

_____. *Mindset: A nova psicologia do sucesso.* Rio de Janeiro: Objetiva, 2017.

Einstein, A. Carta citada no *New York Post* de 28 de novembro de 1972.

Ekman, P.; Davidson, R. J.; e Friesen, W. V. "The Duchenne Smile: Emotional Expression and Brain Physiology II". *Journal of Personality and Social Psychology* 58 (2): 342-53, 1990.

Emmons, R. e McCullough, M. "Counting Blessings versus Burdens: An Experimental Investigation of Gratitude and Subjective Well-Being in Daily Life". *Journal of Personality and Social Psychology* 84 (2): 377-89, 2003.

Farb, N. A.; Anderson, A. K.; Mayberg, H.; Bean, J.; McKeon, D.; e Segal, Z. V. "Minding Ones Emotions: Mindfulness Training Alters the Neural Expression of Sadness". *Emotion* 10 (1): 25-33, 2010.

Farb, N. A.; Segal, Z. V.; Mayberg, H.; Bean, J.; McKeon, D.; Fatima, Z.; e Anderson, A. K. "Attending to the Present: Mindfulness

Meditation Reveals Distinct Neural Modes of Self-Reference". *Social Cognitive and Affective Neuroscience* 2 (4): 313-22, 2007.

Fowler, J. H. e Christakis, N. A. "Cooperative Behavior Cascades in Human Social Networks". *Proceedings of the National Academy of Sciences of the United States of America* 107 (12): 5, 334-8, 2010.

Fredrickson, B. L.; Grewen, K. M.; Coffey, K. A.; Algoe, S. B.; Firestine, A. M.; Arevalo, J. M. G.; Ma, J.; e Cole, S. W. "A Functional Genomic Perspective on Human Well-Being". *Proceedings of the National Academy of Sciences of the United States of America* 110 (33): 13, 684-9, 2013.

Hölzel, B. K.; Carmody, J.; Vangel, M.; Congleton, C.; Yerramsetti, S. M.; Gard, T.; e Lazar, S. W. "Mindfulness Practice Leads to Increases in Regional Brain Gray Matter Density". *Psychiatry Research* 191 (1): 36-43, 2011.

Ito, T. A.; Larsen, T. J.; Smith, N. K.; e Cacioppo, J. T. "Negative Information Weighs More Heavily on the Brain: The Negativity Bias in Evaluative Categorizations". *Journal of Personality and Social Psychology* 75 (4): 887-900, 1998.

Kabat-Zinn, J.; Massion, A. O.; Hebert, J. R.; e Rosenbaum, E. "Meditation". Em *Textbook on Psycho-Oncology*, org. por J. C. Holland, 767-9. Oxford: Oxford University Press, 1998.

Killingsworth, M. A. e Gilbert, D. T. "A Wandering Mind Is an Unhappy Mind". *Science* 330 (6006): 932, 2010.

Kraft, T. L. e Pressman, S. D. "Grin and Bear It: The Influence of Manipulated Facial Fxpression on the Stress Response". *Psychological Science* 23 (11): 1.372-8, 2012.

Lanza, R. e Berman, B. *Biocentrism: How Life and Consciousness Are the Keys to Understanding the True Nature of the Universe.* Dallas: Benbella Books, 2009.

Miller, J.; Fletcher, K.; Kabat-Zinn. J. "Three-Year Follow-Up and Clinical Implications of a Mindfulness-Based Stress Reduction Intervention in the Treatment of Anxiety Disorders". *General Hospital Psychiatry* 17 (3): 192-200, 1995.

Neff, K. *Self-Compassion: The Proven Power of Being Kind to Yourself.* Nova York: William Morrow, 2011.

Neff, K. D. e Germer, C. K. "A Pilot Study and Randomized Controlled Trial of the Mindful Self-Compassion Program". *Journal of Clinical Psychology* 69 (1): 28-44, 2013.

Niemiec, C. P.; Ryan, R. M.; e Deci, E. L. "The Path Taken: Consequences of Attaining Intrinsic and Extrinsic Aspirations in Post-College Life". *Journal of Research and Personality* 73 (3): 291-306, 2009.

Parks, G. A.; Anderson, B. K.; e Marlatt, G. A. "Relapse Prevention Therapy". Em *International Handbook of Alcohol Dependence and Problems*, org. por N. Heather, T. J. Peters e T. Stockwell. Sussex: John Wiley and Sons, 2001.

Poulin, M. J.; Brown, S. L.; Dillard, A. J.; e Smith, D. M. "Giving to Others and the Association Between Stress and Mortality". *American Journal of Public Health* 109 (9): 1.649-55, 2013.

Rosenzweig, S.; Greeson, J. M.; Reibel, D. K.; Green, J. S.; Jasser, S. A.; e Beasley, D. "Mindfulness- Based Stress Reduction for Chronic Pain Conditions: Variation in Treatment Outcomes and Role of Home Meditation Practice". *Journal of Psychosomatic Research* 68 (1): 29-36, 2010.

Segal, Z. V.; Bieling, P.; Young, T.; MacQueen, G.; Cooke, R.; Martin, L.; Bloch, R.; e Levitan, R. D. "Antidepressant Monotherapy vs. Sequential Pharmacotherapy and Mindfulness-Based Cognitive Therapy, or Placebo, for Relapse Prophylaxis in Recurrent Depression". *Archives of General Psychiatry* 67 (12): 1.256-64, 2010.

Shapiro, S.; Astin, J.; Bishop, S.; e Cordova, M. "Mindfulness-Based Stress Reduction for Health Care Professionals: Results from a Randomised Trial". *International Journal of Stress Management* 12 (2): 164-76, 2005.

Shapiro, S. L.; Schwartz, G. E.; e Bonner, G. "Effects of Mindfulness-Based Stress Reduction on Medical and Premedical Students". *Journal of Behavioral Medicine* 21 (6): 581-99, 1998.

Teasdale, J. D.; Williams, J. M.; Soulsby, J. M.; Segal, Z. V; Ridgeway, V. A.; e Lau, M. A. "Prevention of Relapse/Recurrence in Major Depression by Mindfulness-Based Cognitive Therapy". *Journal of Consulting and Clinical Psychology* 68 (4): 615-23, 2000.

Agradecimentos

De Elisha Goldstein:
São muitas as pessoas envolvidas no processo de escrever um livro. Tenho profunda gratidão a todos os meus alunos, pacientes, professores, familiares e amigos – sem as conexões de todos, este livro não teria se tornado realidade. Especialmente não sem o amor da minha esposa, Stefanie, de meus dois filhos, Lev e Bodhi, e da minha caçulinha, que deve chegar a este mundo em breve. Um muitíssimo obrigado a Bob Stahl, meu coautor, além de amigo e professor maravilhoso, que tive a grande sorte de ter como companhia ao longo dessa jornada.

De Bob Stahl:
Quero agradecer a meus familiares, professores, alunos e a todas as criaturas grandes e pequenas com quem divido este universo maravilhoso e misterioso. Minha profunda gratidão a todos os que me guiaram no caminho da consciência e do coração. Muito obrigado também a Elisha, meu coautor e grande amigo.

De Elisha Goldstein e Bob Stahl:
Queremos agradecer a Jon Kabat-Zinn, por trazer ao mundo o Programa de Redução do Estresse Baseado na Atenção Plena (MBSR); a Stephanie Tade, por ser uma mentora e agente fantástica, e a todos os funcionários da New Harbinger, pelo cuidadoso trabalho de fazer nascer este livro.

Para saber mais sobre os títulos e autores
da Editora Sextante, visite o nosso site.
Além de informações sobre os próximos lançamentos,
você terá acesso a conteúdos exclusivos
e poderá participar de promoções e sorteios.

sextante.com.br